Los Libros de la Estrella / 25

Arte y patrimonio

Granada. Guías de Historia y Arte

IGNACIO HENARES CUÉLLAR

LA CAPILLA REAL, LA CATEDRAL
y su entorno

Diputación
de Granada
Red de municipios

2004

Índice

PERSPECTIVAS Y SIGNIFICACIÓN [11]

LA CAPILLA REAL [17]
Cenotafios [23]
Retablos y rejería [27]
Sacristía-museo [34]

LA LONJA [41]

LA CATEDRAL [45]
Puertas y portadas [54]
Fachada principal [59]
Cabecera [68]
Interior de la Catedral [71]
Sacristía y museo [102]

LA IGLESIA DEL SAGRARIO [105]

LA CALLE OFICIOS Y LA ALCAICERÍA [113]
La Madraza [113]
El Centro José Guerrero [117]
La Alcaicería [118]

EL ENTORNO DE LA CATEDRAL [119]
El Colegio Imperial (Curia Eclesiástica) [119]
La Casa de los Miradores [122]
El Colegio de Niñas Nobles [123]

6

Apéndices
    Bibliografía [129]
    Diccionario onomástico [131]

Comentarios marginales
    Los Reyes Católicos y Granada [18]
    El espacio urbano antes de 1492 [47]
    Carlos V y Granada [48]
    La advocación a la Encarnación [73]
    La música en la Catedral y la Capilla Real [100]
    Los arzobispos de Granada [106]

Planos
    Plano de la Catedral y los edificios de su entorno [8-9]
    Planta de la Catedral [49]
    Alzado de la capilla mayor [74-75]

Cubierta: Interior de la Catedral de Granada.
Isabel la Católica orante (1521) de Felipe Bigarny.

Páginas 2-3: Remate de la rejería de Bartolomé de Jaén (1518) en la Capilla Real.

Página 5: Escudo de los Reyes Católicos en la Capilla Real.

A la derecha: La Lonja y la Capilla Real en la calle Oficios.

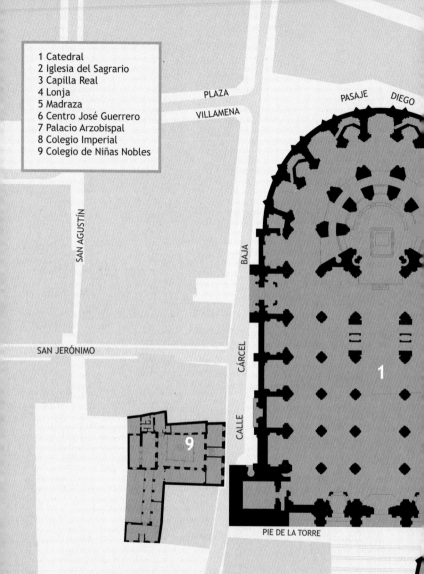

1 Catedral
2 Iglesia del Sagrario
3 Capilla Real
4 Lonja
5 Madraza
6 Centro José Guerrero
7 Palacio Arzobispal
8 Colegio Imperial
9 Colegio de Niñas Nobles

PLAZA
VILLAMENA

PASAJE   DIEGO

SAN AGUSTÍN

BAJA

SAN JERÓNIMO

CÁRCEL

CALLE

9

1

PIE DE LA TORRE

PLAZA DE
LA ROMANILLA

PLAZA
DE LAS
PASIEGAS

COLEGIO CATALINO

GERONA

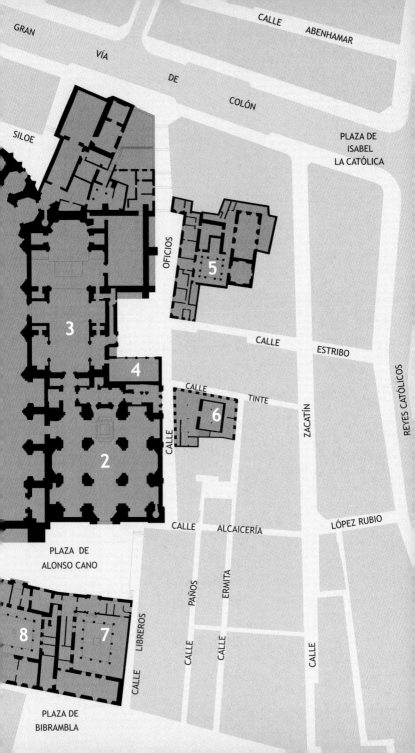

CALLE ABENHAMAR

GRAN

VÍA

DE

COLÓN

SILOE

PLAZA DE
ISABEL
LA CATÓLICA

OFICIOS

5

3

CALLE

ESTRIBO

4

CALLE

TINTE

6

CALLE

ZACATÍN

REYES CATÓLICOS

2

CALLE   ALCAICERÍA

LÓPEZ RUBIO

PLAZA DE
ALONSO CANO

CALLE LIBREROS

PAÑOS

ERMITA

8

7

CALLE

CALLE

CALLE

CALLE

PLAZA DE
BIBRAMBLA

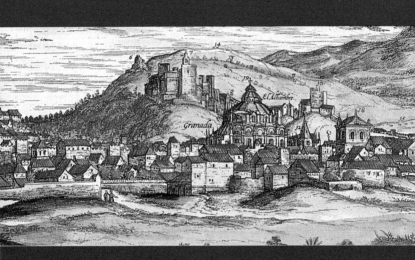

Detalle de una vista de Granada de Hoefnagel (1563), en la que se representa la cabecera de la Catedral de Granada.

Perspectivas y significación

El conjunto de edificios que define el centro religioso y urbano de la Catedral de Granada constituye una representación objetiva y simbólica, constructiva y figurada, de los principales procesos históricos del nacimiento de la modernidad en Andalucía y en el mundo hispano; abarca toda la historia del Antiguo Régimen, desde finales del siglo XV hasta la segunda mitad del siglo XVIII. La monarquía y la sociedad castellana que se instalan en la ciudad tras la conquista en 1492, son todavía, en una importante medida, medievales, si bien un dualismo cada vez más marcado empieza a teñir a esta sociedad y a sus modelos de poder. Éstos concluirán en la definición de la primera monarquía absoluta de Occidente y desde el punto de vista artístico y simbólico, por un lado en la Capilla Real y por otro en el conjunto de las fundaciones reales en la ciudad. Entre éstas, naturalmente, se halla la iglesia metropolitana, que había de servir de sede a la archidiócesis granadina ahora refundada y de expresión a la evolución política que afectaría a toda Europa y al Nuevo Mundo. El modelo alcanzará su definitiva configuración política y cultural durante el reinado del césar Carlos, separándose progresivamente del programa político y de las significaciones morales y culturales de la monarquía nacional gótica que se mantenían en la época de sus abuelos, los Reyes Católicos, doña Isabel y don Fernando. De ahí deriva, por ejemplo, la distancia con respecto al proyecto de capilla funeraria de éstos y el abandono del plan gótico para la Catedral, que se verá sustituido por el de un ingente edificio proyectado en estilo renacentista por Diego de Siloe, destinado a mausoleo del Emperador.

Ésta será *La armónica montaña*, en expresión del escritor Antonio Enrique, que ha novelado los complejos valores estéticos e históricos entrañados en el proyecto. Sobre ellos se eleva uno de los más decisivos y rotundos símbolos de la modernidad arquitectónica en Andalucía, si bien es cierto que puede resultar demasiado abstracto, por lo que la crítica ha tardado en acertar con su interpretación y no se percibe una corriente de entusiasmo popular en torno al edificio como la suscitada por las catedrales góticas. Domina la idea de un cierto hermetismo, al que puede no resultar ajeno el hecho de no haber cumplido nunca los fines de enterramiento imperial a que se destinó, y el que la Majestad que la Catedral granadina conmemora se ausentara pronto y definitivamente del lugar.

A pesar de todo, Granada como ciudad moderna se va a definir por efecto de la irradiación de este poderoso organismo que durante siglos condicionó la percepción colectiva; la imagen de su imponente cabecera se hizo perceptible desde los más diversos puntos de vista, incluyendo Valparaíso o la ciudad alta. Precisamente desde el Albaicín la contempla el extraordinario dibujo del ábside catedralicio de mano de Velázquez. El poderoso arco de triunfo de la fachada principal podía ser admirado desde la mayor parte de los caminos que llegaban a la ciudad en la época en que ésta coincidía con el actual casco histórico y se abría a un paisaje de huertas para alcanzar a través de ellas el verde espejo de la vega.

La forma en que este voluminoso objeto ritual y arquitectónico dominaba y se articulaba con la ciudad tardomedieval y renacentista ha dejado hoy de percibirse, como consecuencia de la intervención realizada en el centro histórico a finales del siglo XIX para abrir la Gran Vía en una operación de ensanche clásica de la época. Sin embargo todavía existen testimonios de la red de relaciones espaciales, perceptivas y simbólicas que establecía la Catedral renacentista. Es posible reconstruirlas a partir de la persis-

tencia de una serie de ejes urbanísticos, claves en la articulación y definición

Ábside de la Catedral de Granada dibujado por Velázquez (1599-1660). Biblioteca Nacional.

del centro histórico. Tales ejes fueron completándose a lo largo de los siglos XVII y XVIII, a medida que evolucionaban la vida social y el ritual colectivo en una ciudad que curaba las heridas del conflicto con los moriscos y su definitiva expulsión, al tiempo que despertaba del sueño político vivido inmediatamente después de la conquista y sobre todo en la etapa imperial. De camino, se institucionalizaban su melancolía y los contenidos culturales en que había de quedar vertida.

El primero de estos ejes supervivientes es el correspondiente a San Jerónimo, que conecta la iglesia metropolitana –su crucero menor– a través de la portada de ese nombre, salida estructural y litúrgica hoy cerrada, verdadero itinerario eucarístico, con el monasterio gótico renacentista de San Jerónimo, mausoleo del Gran Capitán, el legendario caudillo de las guerras de Italia. Este eje establecerá la directriz que ordenó el crecimiento urbano, arquitectónico e intelectual del Seiscientos, ya que sobre él se van a instalar la Compañía de Jesús, con una de sus más significativas fundaciones andaluzas –el Imperial Colegio de San Pablo, que devendrá sede de la Universidad–, el oratorio de San Felipe de Neri, y la Orden Hospitalaria de San Juan de Dios, esta última en la intersección con otro eje, del Quinientos, que es el que enlaza San Jerónimo con el Hospital Real. Arquitectónica, política y culturalmente, estas instituciones importantísimas en la historia social del Antiguo Régimen, llamadas a ejercer una duradera influencia dentro y fuera de la ciudad, se conforman sobre el modelo catedralicio, continúan sus lenguajes e incluso se sirven de sus maestros, lo que demuestra la vitalidad de este poderoso símbolo, la estrecha comprensión que de él tuvieron sus contemporáneos y el extraordinario prestigio que la iniciativa imperial alcanzó en la cultura granadina moderna y en sus zonas de influencia. Así, en 1639, Bermúdez de Pedraza en su *Historia eclesiástica de Granada*, afirmaba que la Catedral es la «otava maravilla del mundo; no puede quitarle este lugar San Lorenzo el Real, ni aun el templo de Santa Sofía de Constantinopla, así lo dicen los extranjeros». Por su alto valor, el modelo se perpetuará tanto en la arquitectura religiosa del Renacimiento como en el arte hispanoamericano del momento, y en especial en las grandes catedrales del otro lado del Atlántico.

Desde la alcazaba de la Alhambra puede apresarse una síntesis visual y simbólica de la sociedad, el urbanismo y la arquitectura quinientista. En ella se unen las instituciones e imágenes más acabadas de una monarquía absoluta que había alcanzado en Europa un poder hegemónico sin precedentes: el palacio imperial, imagen de la Majestad; la Chancillería, espejo de la Justicia y el equilibrio de poderes que el modelo absolutista representa, ambos edificios enlazados por una vía que cambió las relaciones medievales de la Alhambra con la ciudad (cuesta de Gomérez); y el imponente mausoleo cupulado del césar hispano, la Catedral, símbolo de la unión entre poder y trascendencia.

Se trata sin duda de una temprana y perfecta experimentación de lenguajes de poder que anticipa futuros desarrollos europeos y no deja de sorprender a quienes, familiarizados con el arte de las grandes capitales y los centros de poder modernos –Viena por ejemplo–, encuentran aquí un modelo tan precoz y completo.

Este tipo de relaciones visuales podría multiplicarse en ejemplos prácticamente inagotables desde los infinitos puntos de vista que todavía ofrece la ciudad pese a su evolución contemporánea, que en nada ha favorecido al centro histórico.

Aunque la sede de San Cecilio fue restablecida inmediatamente después de la conquista, culminando la nueva realidad política e ideológica, y se dispuso la construcción de la Catedral, ésta buscará ubicación en distintas zonas de la ciudad –Alhambra o Realejo–, hasta alcanzarla definitivamente en el lugar de la medina musulmana. Las obras del enterramiento de los Reyes Católicos se adelantarán a las de la Iglesia Mayor, lo que parece significar desde el punto de vista moral y político que ésta sólo podía alzarse sobre la piedra angular que le proporcionaban sus fundadores. Así quedan expresadas arquitectónicamente en el conjunto las principales razones de la monarquía y la sociedad modernas: un gran cuerpo renacentista –la Catedral– y un corazón gótico –la Capilla Real–.

La Capilla Real

La fundación de la Capilla Real se decide por una real cédula dada en Medina del Campo a 13 de septiembre de 1504. La elección de Granada como mausoleo de la dinastía es una importante decisión política en la que se vuelve a insistir en el testamento de la reina Isabel, de 12 de octubre, poco antes de su fallecimiento el 26 de noviembre. En este último documento se elige el convento de San Francisco en la Alhambra como enterramiento provisional –lo que se realizó en diciembre del mismo año–, hasta que se construyera la nueva capilla funeraria. Por real cédula de 1505 se encargó la obra al capellán mayor y antiguo limosnero de la Reina, Pedro García de Atienza. Las trazas se contienen en el contrato celebrado en Burgos el 13 de septiembre de 1506 entre el arquitecto Enrique Egas y el cardenal Cisneros.

La elección arquitectónica está muy determinada por la voluntad contenida en los documentos fundacionales y las disposiciones que para sus exequias y enterramiento dictó la Reina, rehusando toda solemnidad: en «una sepultura baxa que no tenga bulto alguno, salvo una losa baxa, en el suelo, llana, con sus letras esculpidas en ella», expresiones todas de una religiosidad medieval de fuerte inspiración franciscana. Esto, unido a la rigurosa observancia conventual de Cisneros, explica que se eligiera para la capilla sepulcral el modelo de las iglesias mendicantes, que gozaban de gran popularidad y del favor de los monarcas fundadores.

Ante el rigor y sencillez de la elección se comprende el

La Capilla Real vista desde el altar mayor

17

descontento del propio Egas y aún más el de un cortesano celoso del prestigio político de la monarquía, e innovador en las artes, como el conde de Tendilla, visitador real de las obras. Tras convocar a los maestros Lorenzo Vázquez, Alfonso Rodríguez, Cristóbal de Adonza y Pedro Morales, intentó Tendilla ampliarla y enriquecerla con un cimborrio. Tales reformas no fueron aceptadas en 1510 y el maestro Egas reemprendió las obras, que figuran como acabadas en 1517, según aparece en la inscripción gótica labrada alrededor de la Capilla, aunque en realidad se trabajara hasta 1521, año del traslado de los Reyes desde su enterramiento en la Alhambra.

Como defiende Pita Andrade, frente a la tradicional imputación de mezquindad, la Capilla es una obra maes-

LOS REYES CATÓLICOS Y GRANADA. Los Reyes Católicos entraron en la ciudad de Granada el 2 de enero de 1492, tras hacer capitular a Boabdil, último Rey de la dinastía nazarí. La llamada Toma convirtió a Granada, último bastión del Islam en la Península Ibérica, en un lugar de extraordinario carácter simbólico, pues en ella se materializaba el fin del proceso secular que se ha venido a llamar reconquista, se hacía efectiva la unión territorial de los reinos de Castilla y Aragón, y se ponía en funcionamiento todo un mecanismo de compensación psicológica de las monarquías europeas ante los avances de los turcos en el este del continente.

Si bien bajo su reinado la Corte nunca se llegó a establecer en Granada, los Reyes Católicos se encargaron de tomar la cuestión granadina como uno de los problemas fundamentales en su idea de creación de un Estado moderno. Mediante las capitulaciones determinaron las condiciones de convivencia con la población árabe (ahora llamados moriscos) y dotaron a la ciudad de toda una estructura administrativa y religiosa, reclamando a personajes de su entorno para ocupar cargos de primer orden: Íñigo López de Mendoza, conde de Tendilla, como virrey, gobernador militar y alcaide de la Alhambra; Hernando de Zafra, secretario real, encargado de la ordenación económica y social; fray Hernando de Talavera, fraile jerónimo confesor de la reina Isabel, encargado, como nuevo arzobispo, de las tareas de evangelización de la población. Este orden tripartito, junto a los acuerdos firmados por las dos partes en las capitulaciones conforma el primer intento de convivencia de las tres culturas bajo su reinado. Sin embargo, a su vuelta a la ciudad en 1499, ante las frecuentes insurrecciones moriscas que delataban el fracaso del orden establecido en 1492, los Reyes Católicos optaron por una radical castellanización y cristianización de la ciudad por medio de diversas campañas militares y religiosas que culminaron en la suspensión de las capitulaciones por parte del rey Fernando y el inicio de la serie de conversiones forzosas y quemas de libros en árabe llevadas a cabo por el cardenal Cisneros, nuevo arzobispo de la ciudad.

La decisión de construir la Capilla Real granadina como panteón real será el último de los gestos de los monarcas para dotar de significación política y religiosa a la ciudad de Granada.

tra de la arquitectura conmemorativa gótica y supera cuanto dentro de esta tipología se venía levantando. Como tal, no es un edificio autónomo, puesto que los Reyes Católicos dispusieron su fundación a la derecha de la capilla mayor de la Catedral, relación tradicional en esta clase de edificios. Abandona el plan poligonal, de ocho lados, y se constituye en una iglesia conventual de una sola nave con presbiterio ochavado elevado por gradas, un breve crucero, dos capillas a los lados, confesionarios (hoy tapiados) y coro en alto a los pies. Es desde el punto de vista funcional un tipo de iglesia de visibilidad perfecta, que tiende a un efecto monumental, aun cuando se trate de un edificio de dimensiones reducidas.

Partiendo, pues, de su destino y de su situación la Capilla Real sobresale dentro del conjunto de la Catedral y la iglesia del Sagrario por su función específica, la solución estructural adoptada y el complejo programa figura-tivo, desarrollado en varias

Nave de la Capilla Real vista desde los pies

etapas: tumbas reales, retablo y rejas. Siguiendo al profesor Bayón, debemos subrayar el carácter fúnebre de una gran parte de la obra arquitectónica encargada por los Reyes Católicos, como la Cartuja de Miraflores o las iglesias de Santo Tomás en Ávila y de San Juan de los Reyes en Toledo, enterramientos en potencia de la real pareja. Como las reliquias distribuidas por la Iglesia en todos los centros y ciudades cristianas, estas capillas constituyen para los piadosos soberanos un auténtico *memento mori*, culminado en la capilla granadina.

Este plan hacía de la Capilla Real el soporte de las más altas significaciones políticas y religiosas, lo que se puede percibir incluso en el nivel institucional porque se aumentan constantemente sus beneficios y derechos por parte de la monarquía. En 1518 el número de los capellanes sube de doce a veinticinco, y en 1537 se concede a la Capilla un Cabildo con idénticos privilegios al de la Catedral, causa de numerosos conflictos jurisdiccionales en el futuro. Sus relaciones respecto al conjunto están marcadas por este predominio. Respecto a la Catedral, a cuyo crucero se abre, parece que la intención de los fundadores fue hacer que la Capilla Real funcionase como sagrario, quedando su sepulcro colocado ante el Santísimo Sacramento. La iglesia del Sagrario se alzó en el siglo XVIII y privó a la Capilla del principal acceso exterior, proyectado, como señala Pita, en forma de un claustro que se abriría en el solar de la «iglesia vieja» –la mezquita–, condenada a desaparecer al hacerse la nueva Catedral. La Capilla Real se uniría con el claustro a través de cuatro capillas góticas, de las que sólo quedan dos, una solución inédita que destaca por el énfasis arquitectónico que habría de dar al panteón real.

A pesar de que su contexto evolucionó de forma bien distinta a la proyectada –incluso el plan catedralicio sustituía a la Capilla como mausoleo imperial–, la arquitectura de sus portadas muestra una interesada riqueza. La menor a los pies –ingreso al Sagrario– es un arco trebolado con cardinas y dos esculturas de san Pedro y san Pablo bajo doseletes. La de la sacristía, en el brazo derecho del crucero, une al arco carpa-

nel y la crestería gótica que
la corona, el grupo renacen-

Fachada de la Capilla Real en la calle
Oficios (1521)

tista de la Asunción del italiano Jacopo Florentino. La portada exterior –entrada actual–, rehecha torpemente en el
siglo XVIII, aún conserva las esculturas de la parte superior,

Portada de la Capilla Real en el crucero de la Catedral (1517)

realizadas en 1527 por el escultor francés Nicolás de León. Pero sin duda el más importante conjunto es el constituido por la portada que se abre al crucero de la Catedral, frente a la Puerta del Perdón, realizado en 1517, completa expresión del repertorio ornamental del último gótico: arco de medio punto angrelado, figuras de los santos Juanes y heraldos en las jambas, imágenes en las arquivoltas, enmarque con un alfiz, enjutas completamente decoradas con motivos protorrenacentistas, coronación con motivos heráldicos y epigráficos, a todo lo cual se une el grupo de la Epifanía, de Jorge Fernández, con resonancias italianas. Al hallarse incluida hoy esta portada en el cuerpo de la Catedral cobra allí especial significación.

No son estos los únicos elementos que reflejan una preocupación emblemática. Dentro del edificio, las bóvedas de tracería, particularmente las del presbiterio y crucero, adornadas con florones dorados, permiten comprender con facilidad el origen *popular* y prestigioso de las soluciones arquitectónicas adoptadas. Ello se completa con los escudos reales, sostenidos por águilas de san Juan coronadas, con sus alas desplegadas, policromadas en colores majestuosos y fúnebres como el negro, rojo y oro, y el friso con inscripciones, en azul, que recorre el templo, donde los grandes caracteres góticos describen los hechos y la muerte de los Reyes junto a las vicisitudes de su construcción. Al exterior, la estricta arquitectura se explica a través de caladas balaustradas, cresterías y pináculos, con el obsesivo juego de las iniciales F e Y de sus fundadores, de idéntica intención heráldica.

La función de este repertorio ornamental sobre una arquitectura eminentemente desnuda nos pone ante un nuevo hecho: el programa político que se vincula a esta Capilla, progresivamente definido por los fundadores y el emperador Carlos V. El núcleo de tal programa era la decisión de crear un centro permanente de la monarquía absoluta en el escenario simbólico de su culminación, tras la *reconquista* a los infieles, recordada periódicamente mediante el ritual público que celebra la Toma de la ciudad cada 2 de enero. El proyecto sólo resulta completo con la importante contribución de los sucesivos programas decorativos, los grandes ciclos escultóricos y la colección de pintura y objetos rituales y suntuarios donados por los Reyes y conservados en su museo.

Escudo de los Reyes Católicos en la rejería de la Capilla Real

Cenotafios

El Renacimiento supuso una nueva estética y una evolución del ideario ético-político. En la Capilla Real se hizo presente gracias a la gestión del conde de Tendilla, miembro de la prestigiosa familia de los Mendoza, tan influyente en la introducción de este estilo en España, al encargar por su sugerencia Fernando el Católico la ejecución del cenotafio real a Domenico Fancelli. Este escultor había realizado el del cardenal de España, Diego Hurtado de Mendoza, para la Catedral de Sevilla y concluido recientemente el del príncipe don Juan para la iglesia de Santo Tomás en Ávila. Su mejor obra conocida es el mausoleo real de Granada, labrado en Génova en mármol de Carrara entre 1514 y 1517. El sepulcro es un túmulo troncopiramidal, de tradición florentina, próximo al de Sixto IV de Pollaiuolo, que muestra un notable equilibrio entre elementos ornamentales (grifos, guirnaldas, grutescos) y heráldicos, por una parte, y por otra escenas del Bautismo, la Resurrección y san Jorge, apóstoles y padres de la Iglesia. Los yacentes son figuras llenas de idealismo, si bien Gómez-Moreno González considera auténtico retrato el rostro de Fernando el Católico. Fue Fancelli un escultor correcto y buen ornamentista, formado en el taller de Mino da Fiesole y estrechamente vinculado a las tradiciones del *Quattrocento*; a través de su serie de sepulcros abrió al arte cortesano la vía renacentista, capaz de definir un nuevo discurso conmemorativo que une la idea de trascendencia religiosa a un lenguaje simbólico inspirado en la Antigüedad.

La llegada en 1526 del futuro emperador Carlos V, sus ideas sobre lo que debía ser el panteón real y la intervención de un cortesano como don Antonio de Fonseca, él también decidido partidario y mecenas de las innovaciones renacentistas, harán de la Capilla Real el centro de reunión de los más importantes artistas del Renacimiento español, unos al principio y otros al final de su carrera.

El programa innovador se decide en la Corte. Hacia 1519, en Barcelona y Zaragoza, se contratan las nuevas obras que tienen por objeto engrandecer el mausoleo cuyo destino iba a ser ahora acoger a los primeros Austrias. El plan inicial es una continuación de cuanto se había ejecutado en la Capilla. Se encargó al burgalés Bartolomé Ordóñez un nuevo cenotafio, destinado a doña Juana y Felipe el Hermoso, para ocupar su lugar en el crucero junto al de los fundadores. El encargo, ejecutado por Fonseca en Barcelona,

A la izquierda, cenotafio de los Reyes Católicos Isabel y Fernando (1517) de Domenico Fancelli, y debajo cenotafio de doña Juana y Felipe el Hermoso (1520), de Bartolomé Ordóñez.

marca el inicio del relevo de los grandes decoradores italianos. Ordóñez aportará, frente al carácter conservador de la obra de Fancelli, las innovaciones que se habían impuesto durante el siglo XVI en Italia, donde el escultor acababa de triunfar. Éste es uno de los rasgos diferenciales del Renacimiento español durante la época imperial. Al morir prematuramente Ordóñez en 1520 el cenotafio estaba acabado en lo principal, aunque no se colocó hasta 1603.

El túmulo vuelve a la tipología tradicional de paredes verticales, sobrealzando un segundo cuerpo que sirve de cama a los yacentes y aumenta su monumentalidad. Conserva, si bien transformado, algo de lo esencial de la obra de Fancelli, especialmente en la organización de los frentes, el programa decorativo y los monstruos de las esquinas. Sin embargo, la obra de Ordóñez supera las limitaciones expresivas y el carácter exclusivamente heráldico del proyecto italiano mediante sus figuras (san Andrés, los santos Juanes y san Miguel) que, aun siendo una iconografía emblemática, nos remiten a nuevos modelos expresivos dominados por la experiencia de Miguel Ángel Buonarotti, y las escenas de los medallones (Nacimiento, Adoración de los Reyes, Oración del Huerto y Descendimiento), impresionante síntesis cristológica.

Los cenotafios, alzados sobre una austera cripta subterránea que conserva los féretros reales junto al del príncipe don Miguel, están frente al altar mayor, auténtica culminación del programa político-religioso, con su precedente en Santo Tomás de Ávila y su consecuencia

Féretros reales y del príncipe don Miguel en la cripta de la Capilla Real en El Escorial. El enorme altar se encuentra situado sobre una gran escalera, tan ancha como la nave, bordeada por un pasamano de mármol de Macael diseñado y ornamentado ricamente por un decorador italiano, Francisco Florentino, constituyendo un conjunto de seguro efecto teatral.

Detalle del pasamano de mármol de Francisco Florentino, en la escalera que da acceso al altar mayor.

Retablos y rejería

El retablo del altar mayor se ejecutó, según Gómez Moreno, entre 1520 y 1522. Se atribuye desde antiguo a Felipe Bigarny, con quien colaboraría Alonso Berruguete, el cual acude, sin embargo, a la Capilla como pintor dispuesto a realizar un ciclo de quince historias. Frustrado el proyecto, no obstante, su intervención en el retablo resultaría decisiva incluso para su propio arte. Su influencia y la de Jacopo Florentino transformaron la práctica de inspiración goticista de Maestre Felipe y provocaron un auténtico cambio en la orientación del retablo plateresco español. Así lo señala Orozco, que estima que la valentía y la independencia de las figuras de bulto redondo anticipan los pasos procesionales del Barroco, aunque lo asistemático de su traza arquitectónica sea de origen gótico.

Centrado por un Calvario, bajo arco de medio punto, y las figuras de los santos Juanes, desarrolla un complejo programa iconográfico: en la predela, en bajorrelieve, escenas de la entrega de las llaves de Granada a los Reyes, bautismo de moriscos y moriscas, etc.; arriba, episodios de la vida de los mismos santos, patrones de la Capilla por decisión real, de la vida de Cristo, e imágenes sedentes de los Evangelistas y santos Padres; a ambos lados del sotabanco, las figuras orantes de los Reyes Católicos,

obras de Diego de Siloe, y tras ellos los relieves ecuestres de sus santos patrones, san Jorge y Santiago. Estas esculturas sustituirían a las de Bigarny que, con retoques en la policromía del siglo XVII, se conservan en la sacristía. Constituye, por tanto, un plan simbólico, incluido el suntuoso dorado y la cálida policromía, que culmina a partir de su estructura narrativa las significaciones político-religiosas ya analizadas.

Bajorrelieves de la Entrega de las llaves de Granada a los Reyes Católicos y Degollación de san Juan Bautista, en el retablo de la Capilla Real.

Junto al gran retablo hay que analizar la obra de otros dos maestros del Renacimiento: el retablo de la Santa Cruz, expuesto actualmente en la sacristía-museo. Lo diseñó en 1523, con composición y motivos más rigurosos que el mayor, Jacopo Florentino, arquitecto, escultor y pintor, que intervino con otras obras (portada de la Anunciación, coro) y numerosas ideas en

las obras de la Capilla. La predela del retablo está decorada con tablas pintadas por él y por Pedro Machuca, arquitecto del palacio de Carlos V. Pero todo queda subordinado en el retablo al tríptico de Dierick Bouts, para cuyo soporte fue realizado. Lo centra el Descendimiento y en los paneles laterales se representan la Crucifixión y la Resurrección. Esta

Retablo del altar mayor de la Capilla Real (1522), de Felipe Bigarny.

obra excepcional forma parte de la colección donada por los Reyes Católicos. Aunque muy influida por Weyden es una muestra excelente de cómo concibe Bouts la figura, sus peculiares valores expresivos, intereses paisajísticos y disposición de ambientes.

La rejería define un espacio a la vez ritual y conmemorativo. Como una clausura de respeto, separa la nave –el espacio reservado a los fieles y vasallos– del lugar ocupado por los cenotafios –el espacio de la Majestad–. Este distanciamiento del núcleo eminente del santuario se salva por el carácter introductorio de su plan iconográfico y decorativo, que presenta y anticipa los elementos narrativos y emblemáticos que se desarrollan en las tumbas y retablo. La obra se contrató en 1518, la ejecutó el maestro Bartolomé de Jaén y se trazó de acuerdo con el estilo romano. No obstante, las elecciones formales son ambiguas y el repertorio renacentista aparece unido a elementos góticos como los constituidos por los doseles del apostolado y el trenzado, formas sin duda de significación popular. El conjunto lo centra el escudo y el emblema de los Reyes Católicos en un gran paño calado, rematándose por un friso con la Pasión y el martirio de los santos Juanes. Al mismo maestro Bartolomé se deben las rejas de acceso al sagrario y de la capilla que enfrenta la Lonja; es de otro maestro la que se hizo frente a la puerta de la Catedral.

La fundación de El Escorial supuso la sustitución de la Capilla en sus funciones. A partir de entonces cuantas obras se realizaron para ella dan cuenta esencialmente de desarrollos artísticos locales. Destacan los retablos-relicarios que se encuentran a ambos lados del crucero, ejecutados entre 1630 y 1632, sobre los que intervienen los dos más importantes decoradores del Barroco granadino: Díaz de Rivero como tracista y Alonso de Mena como escultor. El primero fue un diseñador preciso, abierto a las posibilidades ornamentales que los hábitos conmemorativos y cortesanos señalaban. Ambos definirán aquí un discurso historicista dominado por la nostalgia, que tiene su paralelo en las crónicas de la ciudad.

Rejería (1518) del maestro Bartolomé de Jaén

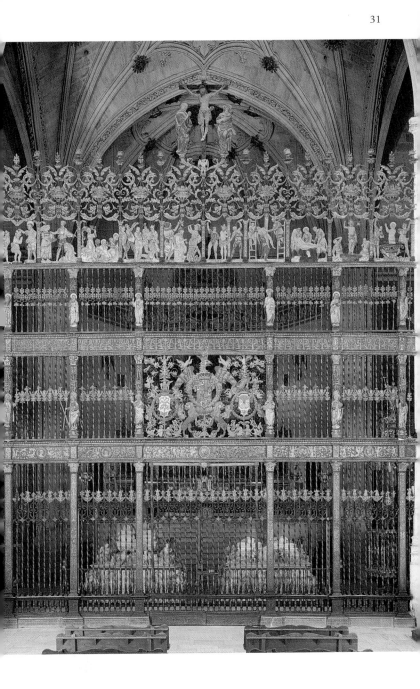

32

Los dos retablos se coronan por virtudes: Prudencia, Justicia y Fortaleza en el de la Epístola y Fe, Esperanza y Caridad en el del Evangelio. En las puertas menores se hallan representados por parejas los bustos de los Reyes Católicos, doña Juana y Felipe el Hermoso, Carlos V e Isabel de Portugal y los monarcas reinantes, Felipe IV e Isabel de Borbón. En las puertas mayores se desarrolla una iconografía emblemática y contrarreformista: Inmaculada, san Juan Bautista, san Pedro y

Retablos-relicarios (1632) de Díaz de Rivero y Alonso de Mena

san Pablo; san Miguel, Santiago a caballo, san Felipe y san
José.

Aquí concluye una evolución histórica y cultural; en
adelante su constante evocación va a teñir de nostalgia la
conciencia ciudadana.

Las puertas de los relicarios contuvieron buena parte
de las tablas flamencas e hispano flamencas donadas por
la reina Isabel, hasta que en 1913, y tras su *descubrimiento*
por parte de Karl Justi y de Manuel Gómez-Moreno en
1890, fueron convenientemente valoradas y expuestas en

Ecce homo (1658) de Bernardo de Mora

la sacristía. Entre las piezas destinadas al interior de los relicarios sobresale un *Ecce Homo* (1658), primera obra documentada de Bernardo de Mora.

Sacristía-museo

La sacristía de la Capilla Real alberga un importante museo constituido fundamentalmente por el legado que hizo la Reina Católica de sus joyas, reliquias, ornamentos, libros, tapices y pinturas. Según la estimación de los críticos, el conjunto debió de oscilar entre las doscientas y las trescientas obras. La colección de primitivos flamencos, que se incrementó por intervención de Felipe el Hermoso constituye, en opinión de Van Schoute, un conjunto único. El espacio se remodeló en 1992 mediante un proyecto del arquitecto Pedro Salmerón que revaloriza la extraordinaria colección de pintura *quattrocentista* con impecables condiciones lumínicas y espaciales, respetando la naturaleza religiosa del continente.

El visitante que recorre la sala puede obtener una impresión completa del panorama de la pintura europea durante el siglo XV. La colección está formada por obras de maestros florentinos, italianos y españoles, vinculados directa o indirectamente a las fundaciones de la Corona.

La pintura flamenca representa el debate abierto en el siglo XV entre idealismo y naturalismo, expresión de diferentes modos de entender el hecho religioso y su representación artística. Destaca la presencia de Roger van der Weyden, representado por su *Retablo de la Virgen*. La obra, planteada como glorificación de la figura de María, se distingue por la tendencia de su autor hacia los contornos netos, la incipiente búsqueda de naturalismo y el extraordinario trabajo de las grisallas que enmarcan la composición a modo de cuadro escenográfico. Tanto en esta obra como en la copia de su *Descendimiento* que se encuentra en el templo (la original está en el Museo del Prado) se constata el gusto del maestro por la expresión de emociones y una cierta tendencia al patetismo.

Natividad perteneciente al *Retablo de la Virgen*, de Roger van der Weyden (1399-1464).

Retablo de Jacopo Florentino (1521) con
el *Tríptico de la Santa Cruz* (hacia 1450-
1460), de Dierick Bouts.

Dierick Bouts, discípulo de Van der Weyden, nos acerca al otro polo de la pintura flamenca: en el *Tríptico de la Pasión* que encabeza la sala (hoy inserto en el retablo de Jacopo Florentino) destacan una mayor sobriedad y un fervor contenido que lleva a una menor individualización de los rostros en pos de una composición en la que la impasibilidad y el hieratismo de las figuras son protagonistas, según modelos más cercanos al mundo medieval. Muy al contrario, sus fondos de paisaje muestran un claro interés cientifista por la representación del medio natural, de las particularidades topográficas de un modo veraz, apoyado por la incipiente ciencia de la perspectiva

Aparte de con otros maestros anónimos o secundarios, el capítulo de la pintura flamenca en la colección de la Capilla Real se completa con Hans Memling, representado por *La Virgen con el Cristo de Piedad* y el díptico del *Descendimiento de la Cruz* y *Llanto de las santas Mujeres*, cuyo estilo presenta débitos con el de su maestro Van der Weyden en lo referente a la expresión, y con la pintura italiana contemporánea en cuanto al estudio anatómico.

De la escuela italiana del primer Renacimiento aparecen dos grandes maestros del *Quattrocento*: Botticelli y Perugino. Del primero se conserva en el museo una *Oración en el huerto* que evidencia la superación del esquematismo flamenco mediante la individualización de perso-

Llanto de las santas mujeres, de Hans Memling (1425/40-1492).

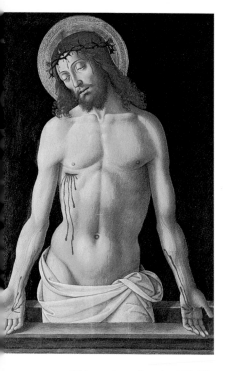

Cristo muerto en el sepulcro (siglo XV), de Perugino.

najes, el estudio minucioso del paisaje y la apropiación de todo el espacio pictórico gracias a una composición jerárquica en la que el tema central queda destacado por su localización en la parte superior. Perugino, con su *Cristo muerto en el sepulcro*, representa una línea de la pintura *quattrocentista* de Italia central destacada por un carácter particularmente dulce, cargado del lirismo y la sensualidad de la escultura clásica, línea que desembocará en el estilo de su discípulo universal, Rafael.

La escuela española de la época, todavía inserta en el estilo gótico oficial, está representada por una tabla de Bartolomé Bermejo con una *Epifanía* en el anverso y una *Santa Faz* en el reverso y la obra *San Juan Evangelista en Patmos* de Pedro Berruguete. Son obras que muestran, respectivamente, la tradición gótica hispano-flamenca y la innovación representada por la plena recepción de los métodos y formas del *Quattroccento* italiano. Por último, destaca la presencia de Pedro Machuca en las obras laterales del primer piso del retablo: *Oración en el huerto* y *Prendimiento de Cristo*.

Completa la sala una colección de orfebrería y tejidos. Las obras aquí conservadas llevaron a Emilio Orozco a escribir: «Podemos muy bien evocar a Isabel absorta en la meditación de *El Cartujano* o de un *Flos Sanctorum* y avivando su devoción con la Virgen de las Angustias de Van der Weyden o la ternura de una Virgen Madre, de

Memling; pero también hemos de imaginarla otras veces regocijándose escuchando romances o leyendo apuestos decires de un cancionero castellano, y también colocándose una joya ante ese espléndido espejo italiano que donó a su capilla, teniendo como fondo un rico tapiz con la figura de Venus y Cupido, o una escena de Amadís y Oriana».

La Capilla conserva como auténticas joyas una serie de objetos de uso personal de los Reyes que reúnen el valor histórico-espiritual y el artístico, como la corona y el cetro de la Reina, obras de la época bastante sencillas, que junto a la espléndida espada florentina de don Fernando figuran en la procesión conmemorativa anual, al igual que las banderas y pendones aquí guardados.

Fachada de la Lonja (1522)

La Lonja

Contigua a la Capilla Real, la Lonja constituye un importante ejemplo de la arquitectura civil plateresca y uno de los escasos edificios mercantiles de tradición medieval conservados fuera de la región levantina. Situada en la pequeña plaza que abre la Capilla Real, cerrándola, formaba con la Madraza y el desaparecido Colegio de San Fernando un núcleo urbano en el que los funcionamientos políticos, eclesiásticos, escolares y productivos aparecían en una perfecta continuidad. Su establecimiento conllevó un importante contencioso entre el poder público y el eclesiástico, saldado con la realización de un edificio compartido, importante muestra de arquitectura civil tardogótica que invalida las funciones iniciales.

La ciudad acordó su construcción el 17 de septiembre de 1518 para que sirviera a la vez como centro de contratación acorde a las funciones iniciales de estos organismos y como oficina para el fiel de contraste de la ciudad, además de banco de fianza de los hermanos Centurión, poderosos banqueros genoveses que financiaron inicialmente las obras. La dirección de éstas se adjudicó al cantero Juan García de Pradas; a consecuencia del pleito promovido sobre el solar por la Capilla Real, su conclusión se demoró hasta 1522. La misma solución del contencioso es bastante expresiva del horizonte gótico en que se inscribe el edificio y el núcleo a que pertenece, al decidirse alzar un segundo cuerpo para utilización de la Capilla Real, sobre el único que se había proyectado inicialmente. Se desconoce al tracista. Parece que, al menos de una parte, pudo serlo Pedro de Morales. Intervino con seguridad en las del

Artesonado del piso inferior de la Lonja

segundo cuerpo Enrique Egas, que sería el responsable de la adscripción toledana del conjunto.

El proyecto constituye una transacción entre el plan tradicional de lonja abierta (*loggia*), que recuerda la arquitectura claustral, y la lonja de salón, quedando éste abierto por cuatro arcos de medio punto en el frente y dos en el costado sobre columnas torsas con capiteles góticos, decorados con bolas, motivos que se repiten en las arquivoltas, y sobre ellas escudos de la ciudad. La portada, meritoria obra de García de Pradas, constituye uno de los primeros ensayos de decoración plateresca; los restantes arcos los recorre una balaustrada. El segundo cuerpo repite la organización con arcos escarzanos y un antepecho donde la heráldica ciudadana se trueca por los emblemas reales y del Emperador; bajo la cornisa, gárgolas. Desde la óptica de la recuperación del mudéjar, son de gran importancia los diseños del interior, que coordinan el primer artesonado italianizante realizado en Granada con una magnífica armadura en la planta superior. En ambas estructuras intervinieron los carpinteros Francisco Hernández y Melchor Quintero. El piso inferior se cubre con un artesonado de casetones octogonales; la armadura es de limas moamares con planta rectangular y ochavada, con almizate totalmente apeinazado con lazo de ocho y dos centros donde faltan las dos supuestas piñas de mocárabes. También se apeinazan los arranques de los pares que se cruzan en la mitad de su trayecto. Tiene dos tirantes pareados y apeinazados que apean sobre canes de tracería gótica con tres lóbulos; las pechinas van ataujeladas en la parte baja con lazo de ocho.

En el ángulo con la Capilla Real se conserva el aljibe de la antigua mezquita mayor. El edificio ha sido estudiado por Rafael López Guzmán en el libro *Tradición y clasicismo en la Granada del siglo XVI*, al que remitimos.

La Catedral

Instituida la Catedral de Granada por bula de 21 de mayo de 1492, quedó establecida provisionalmente en la mezquita mayor de la Alhambra, recinto seguro que la incertidumbre política de los primeros tiempos hacía aconsejable. Deseosos el prelado y el Cabildo de integrarse más estrechamente en la ciudad, se trasladaron al Realejo, donde el rey Fernando fundó un gran hospital y una iglesia dedicada a la Virgen, sobre la actual plaza del padre Suárez y el convento de San Francisco –Casa Grande–, sede después de la Capitanía General hasta que ésta ha desaparecido de Granada.

El primer arzobispo de la ciudad, fray Hernando de Talavera, muere en mayo de 1507. En diciembre de ese mismo año, el Cabildo catedralicio se traslada a la antigua mezquita mayor granadina, convertida en iglesia parroquial con la advocación de santa María de la O. Este hecho se integra en un proceso que se inicia con las conversiones masivas de 1500 y va a llevar a la consagración de todas las mezquitas a la Santísima Trinidad, a la liquidación del estatuto de convivencia de las religiones establecido en las Capitulaciones y a una ocupación total de la ciudad desde los núcleos de la primera ocupación cristiana: Alhambra, judería y las alturas fortificadas del Albaicín.

Esta decisión culmina la definición de un importante centro urbano. Frente a la vieja mezquita se habían levantado por Talavera las casas arzobispales, llamadas a ser un notable centro administrativo y escolar; en la calle Libreros se alineaban seis escribanías públicas que años más tarde, en 1615, se incorporaron al edificio arzobispal cuando

Fachada de la Catedral de Granada, en la plaza de las Pasiegas.

45

lo rehizo don Pedro González de Mendoza. Con los años, aquel paraje de la ciudad había llegado a ser el asiento de sus organismos públicos como el Concejo –en la antigua Madraza nazarí–, la Catedral, la Capilla Real y la Lonja, así como del comercio de lujo, reunido en la vecina Alcaicería.

Sin embargo, no es de extrañar dado el carácter priori-tario que en esos momentos tienen los enterramientos rea-les en la capilla fundada para este destino en 1504, que sea en un informe sobre ella donde el conde de Tendilla aluda en 1509, de pasada, por primera vez a los cimientos de la Iglesia Mayor, cuya cabecera se orientaba al noroeste y cuyos planos existían, al parecer, desde 1505. El Cabildo apremia al cumplimiento de la voluntad de la Reina, y sabemos que no es la única institución que lo hizo. Las observaciones de Tendilla revelan un proyecto de planta radial como la de la Catedral de Toledo, pues propone que las cabeceras de las naves sean cuadradas como las de la de Sevilla. Tal discusión evidencia que los planes que se con-sideraban entre 1505 y 1509 se basaban en los modelos de las mayores catedrales góticas españolas.

El Cabildo de la ciudad y el Arzobispado dirigieron nuevas demandas al Emperador, motivadas por la situa-ción del viejo edificio, las condiciones políticas de la ciu-dad y el ejemplo de lo que se edificaba en otras urbes. En marzo de 1521 se cita, por fin, como maestro de obras de la iglesia del Arzobispado a Rodrigo Hernández. La proce-sión conmemorativa de la Toma de la ciudad, según recor-daba una descripción de diciembre de 1521, había de salir por la puerta de la Capilla Real «al sitio donde ahora se labra la obra de la Iglesia Mayor». Están documentadas visitas de Enrique Egas a Granada para inspeccionar las obras de la Catedral en 1521.

Habiéndose proyectado la Catedral, pues, en 1521, sobre trazas de Egas o de Gil de Hontañón y puesta la pri-mera piedra el 25 de marzo de 1523, desde 1528 Siloe dirigía los primeros trabajos y ordenaba el estilo, con abandono del gótico inicialmente elegido, para trazar un edificio renacentista. La elección como arzobispo de fray Pedro Ramírez de Alva, ex prior de San Jerónimo, debió de determinar tanto el nombramiento de Siloe como algunas opciones arquitectónicas. Éstas se reforzaron por una decisión política tan importante como la adoptada en 1526 por Carlos V de convertir la nueva Catedral en panteón imperial, lo que explica el carácter conmemorativo del nuevo proyecto arquitectónico.

Siloe acude a la ciudad atraído por las posibilidades de intervención que las nuevas fundaciones suponen, y al hacerlo trae consigo la idea de que el diseño clásico, el nuevo estilo renacentista, puede expresar los valores de ejemplaridad que los nuevos mecenas esperan de la arquitectura. La nueva Granada constituye en este sentido una verdadera tierra de promisión para el artista burgalés, que hasta entonces se había visto envuelto en su patria en numerosos pleitos, derivados de la incomprensión de su pensamiento y su arte. En Granada, ante un nuevo horizonte cultural y

EL ESPACIO URBANO ANTES DE 1492. El área urbana presidida por el conjunto de la Catedral y la Capilla Real fue una zona de extraordinaria importancia funcional y simbólica en los siglos previos a la llegada de los Reyes Católicos a Granada. Aunque han aparecido restos arqueológicos que nos hablan de asentamientos desde el siglo XI, con la llegada de la dinastía nazarí (siglo XIII) tiene lugar la actividad edilicia que convertirá esta zona en centro religioso, administrativo y comercial de la llamada *madinat Garnata*, espacio de expansión natural hacia la vega de la población de las colinas del Albaicín y la Sabika.

El edificio que, junto a la *madraza Yusufiyya*, dotó de entidad simbólico-religiosa a la zona fue la desaparecida mezquita *Aljama* o mezquita mayor, edificio exento de once naves con un alminar de piedra, que ocupó el solar sobre el que hoy se levantan la iglesia del Sagrario y la Lonja. Su situación invertida con respecto al actual Sagrario dejaba su entrada al NE, ante la que se abría un patio con una fuente de abluciones en conexión con el aljibe conservado aún bajo la Capilla Real. El patio daba acceso a la *Masyid al-Azam* o plaza de la Gran Mezquita (actual calle Oficios y plaza de la Lonja) donde se alzaban edificios institucionales vinculados en la ciudad islámica a la mezquita (adules o notarios, funcionarios de la judicatura y tribunal del cadí) así como un baño (el *hammam* al-Sawtar) destruido al construir los pilares de la Catedral. Junto a ello aparecen los elementos vertebradores de la vida económica de la ciudad: las *al-fondaq* o alhóndigas para alojamiento de mercaderes y almacén de mercancías, como la Alhóndiga Nueva, actual Corral del Carbón. De los zocos de la zona destacan el Zacatín como mercado de productos varios y, junto a la mezquita, la Alcaicería como mercado de sedas y productos de lujo, establecido en un entramado de calles que forman un núcleo cerrado durante la noche; hoy queda de ella un vago recuerdo tras la reconstrucción en clave historicista que siguió a su incendio en 1843.

CARLOS V Y GRANADA. La instalación de la Corte en Granada entre los meses de junio y diciembre de 1526, con motivo del viaje nupcial del emperador Carlos e Isabel de Portugal, cambió el rumbo de la historia y el arte granadinos. Por un lado inauguró un momento de gran efervescencia cultural, con la presencia de intelectuales de primera línea de la época y la llegada de las formas del clasicismo que triunfaban en el arte europeo de la mano de Felipe Bigarny, Diego Siloe, Jacopo Florentino o Pedro Machuca. Al considerar el monarca la Capilla Real un «estrecho sepulcro para la gloria de mis abuelos» decidió convertir la nueva Catedral en panteón real, hecho que, unido a la llegada de Siloe a Granada, hará cambiar el concepto espacial y estilístico de la iglesia metropolitana. Convencido del poder simbólico de la arquitectura, encargará a Pedro Machuca el palacio hoy llamado de Carlos V en el recinto alhambreño, uno de los edificios más significativos del Renacimiento español.

Por otra parte, la presencia del Emperador supone el punto de inflexión en la convivencia de las culturas morisca y cristiana en la ciudad: preocupado por los frecuentes levantamientos y ante la insistencia en el problema de las altas instancias, Carlos V reunió una junta en la Capilla Real de la que surgieron las peticiones de instalación del tribunal de la Inquisición en la ciudad y de prohibición de todas las peculiaridades moriscas. Intentando responder a estas exigencias, y volviendo sus ojos a la política evangelizadora de Talavera, se llevó a cabo, a instancias del propio Carlos V, un proyecto educativo integrador con dos líneas de actuación: creación de un colegio de clérigos evangelizadores y fundación de establecimientos educativos para niños moriscos. En la primera de estas líneas se enmarca el nacimiento de las cátedras de gramática, lógica, filosofía y teología que, mediante la bula pontificia de Clemente VII, darán origen en 1531 a la Universidad de Granada, con igualdad de privilegios respecto a Bolonia, París, Alcalá de Henares o Salamanca.

moral, se nos muestra libre de toda inhibición, dispuesto a romper con el lastre de la tradición, y capaz después de su paso por Italia, donde ha adquirido el dominio de la nueva arquitectura principesca y el conocimiento de las formas y los símbolos que definen el código renacentista, de proyectar el edificio que había de ser a la vez un espacio religioso completamente original y un símbolo político de gran eficacia: la nueva Catedral.

Por ello hay que insistir, a la vista de lo ideado por el genio arquitectónico de su proyectista, que en modo alguno puede considerarse el catedralicio como un plan híbrido, un compromiso accidental entre la planta gótica y el alzado renacentista –según transmitió la historiografía tradicional–, sino como una concepción íntegra.

Desde que Lampérez publicó su diagrama con las proporciones de la Catedral se dio por supuesto que éstas correspondían a la traza gótica de Egas; las iniciativas de Siloe queda-

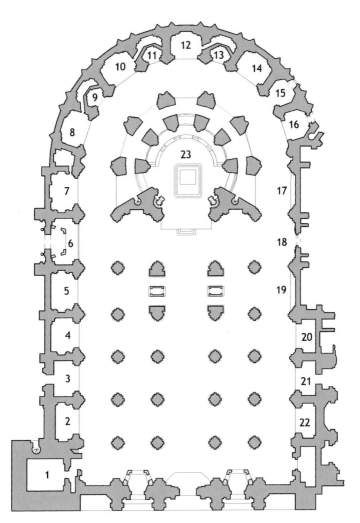

1 Torre

2 Capilla de la Virgen del Pilar

3 Puerta de San Jerónimo

4 Capilla de la Virgen del Carmen

5 Capilla de la Virgen de las Angustias

6 Puerta del Perdón

7 Capilla de Nuestra Señora de la Antigua

8 Capilla de Santa Lucía

9 Capilla del Cristo de las Penas

10 Capilla de Santa Teresa

11 Capilla de San Blas

12 Capilla de San Cecilio

13 Capilla de San Sebastián

14 Capilla de Santa Ana

15 Puerta del Ecce-Homo

16 Puerta de la Sacristía

17 Retablo de Santiago

18 Puerta de la Capilla Real

19 Retablo del Nazareno

20 Capilla de la Trinidad

21 Puerta del Sagrario

22 Capilla de San Miguel

23 Capilla mayor

ban concretadas en las formas renacentistas –sobre todo el orden corintio de los pilares– y la rotonda con cúpula de la cabecera. Los datos sobre cimentación proporcionados por Gómez-Moreno Martínez, al ser levantado el pavimento de la capilla mayor en 1926, permiten afirmar que Siloe determinó en su mayor parte la estructura del edificio, aunque aprovechó los cimientos de Egas, que condicionaron el desarrollo de los muros exteriores, la posición del crucero principal y probablemente la longitud y anchura de la Catedral. Esto se admitió para la cabecera, donde se observó que había dejado a un lado los cimientos que seguían la planta de la Catedral de Toledo; Siloe dedicó cuatro años, de 1533 a 1537, a construirlos nuevos. Pero con respecto a la nave se generalizó la opinión de que los pilares habían sido colocados y parcialmente construidos por Egas, revistiéndolos Siloe con el orden corintio; una opinión inadmisible, por cuanto los primeros cuatro pilares de la nave se comenzaron en 1555, veintisiete años después de ser relevado Egas de la dirección del edificio.

Esta es la fundamental argumentación crítica del profesor Rosenthal, cuyo análisis del proceso de ejecución de la Catedral es clave para el reconocimiento del carácter íntegro y original del proyecto y la comprensión del complejo programa litúrgico y conmemorativo que el plan compuesto –la gran capilla mayor y el organismo basilical de cinco naves– significa, así como para el horizonte ideológico en el que se produjo. El plan de 1528 sufrió las transformaciones evidentes que suponen los retablos, púlpitos, órganos y, hasta 1926, el coro de la nave central, todas obras de los siglos XVII y XVIII. Pero además sufrió también alteraciones arquitectónicas, como puede probarse con la documentación conservada, sobre todo la del concurso de 1577 para cubrir la vacante de Siloe, entre Lázaro de Velasco, Juan de Orea y Francisco del Castillo. A través de las argumentaciones de los opositores se ilustra constantemente el proyecto de Siloe, del que se conservaba una maqueta.

Como muestra de estas alteraciones, en la cabecera, los túneles que rodean la capilla mayor estaban primitivamente abiertos, de forma que podía verse el altar mayor desde el crucero o el coro, como una exigencia fundamental del programa litúrgico; así lo evidencia el grabado de Francisco Heylan de 1612 sobre un dibujo del arquitecto de la Catedral Ambrosio de Vico. En 1561, los canónigos colocaron una reja alrededor del altar al que los fieles querían acercarse excesivamente. Tanto Bermúdez de Pedraza (1608), como Henríquez de Jorquera (1646) elogian una disposición centrípeta sin inhibiciones, que se alteró primero por la instalación de unas rejas, y de forma más

Nave central de la Catedral (siglo XVI), trazada por Diego de Siloe; al fondo, la capilla mayor.

Túnel entre la girola y la capilla mayor

sustancial, a partir de 1926, con los muros que cerraban la vista desde la girola, construidos al instalarse el coro en la capilla mayor. Estos muros han sido eliminados en la restauración emprendida por el arquitecto Pedro Salmerón, recuperándose así los valores espaciales del proyecto de Siloe.

En el plan original se disponían inmediatamente sobre los túneles los nichos que habían de servir de enterramientos imperiales; tal fin explica el carácter triunfal de su diseño, rasgo esencial que deriva de la significación conmemorativa de la Majestad que se atribuye a todo el conjunto.

En el cuerpo de naves las alteraciones del plan original se hacen más sensibles. Las exigencias rituales hacen insustituible el plan basilical que, pese a la argumentación de los teóricos del Renacimiento y sus esfuerzos por mostrarlo como «antiguo», constituye una referencia a la tradición. Sin embargo, Siloe no acepta ésta como una autoridad inapelable y transforma el esquema de cinco naves, insertando dentro de ellas un organismo cruciforme, mediante crucero secundario con una linterna que define un eje central, al contribuir a la organización centrípeta del espacio opuesta a la forma basilical. La cúpula de base oval diseñada por José Granados se construyó en el siglo XVII; se desmontó en 1702 temiendo por su seguridad. Desaparecida la cúpula y cerrada la Puerta de San Jerónimo, queda abolida la estructura del doble crucero.

Las cubiertas de la nave constituyeron otro elemento equívoco para la comprensión del proyecto de Siloe, dado que las bóvedas de crucería, consideradas un gesto medie-

val del proyectista, no fueron diseñadas por él; así se Bóvedas de la Catedral
comprende a partir de los comentarios de los expertos que en 1614 dictaminaron sobre las que se construían en el crucero. Uno de los arquitectos se expresa así: «Hasta el cornisamiento y arcos torales va conforme a la traza de Siloe. Desde allí siguió el género de bóveda moderna (gótica) y *no romano como debía ser*». Esta elección estaba determinada, sin duda, por la seguridad. Las bóvedas diseñadas por Siloe posiblemente se parecerían a las bóvedas vaídas empleadas en las catedrales de Málaga y Jaén, o serían una variante de las usadas por él mismo en la girola. Las construidas en el siglo XVII suponen una pérdida de la unidad espacial, y en contradicción con el sistema de soportes fueron las responsables de que la crítica concibiera la idea de que en este interior Siloe había actuado exclusivamente como un decorador añadiendo los pilares corintios.

Nave lateral derecha de la Catedral

El profesor Rosenthal resume su argumentación en contra de este prejuicio tradicionalmente difundido señalando que por encima de las alteraciones sufridas con posterioridad al trabajo de Siloe, las proporciones vitrubianas de los pilares, la forma «romana» de las bóvedas, la disposición centrípeta de la cabecera y la colocación cruciforme de la nave con linterna por encima de su crujía central, nos descubren un sistema esencialmente renacentista.

Puertas y portadas

Comparada con la otra iniciativa fundamental del arte de la época imperial, el Palacio de Carlos V, en la que prima la idea de arquitectura de aparato, es decir, la preocupación fundamental por lo exterior, la Catedral es en cambio y sin la menor duda, un interior. Hallamos así el resultado sensible de un extraordinario esfuerzo por definir un universo simbólico moderno que gira en torno a las propuestas rituales eucarísticas propias de la Reforma católica española de aquel tiempo y a los enterramientos imperiales.

Pero no es así exclusivamente, puesto que el diseño exterior va a constituir un importante programa, en todo solidario con las funciones y significaciones descritas para su interior. En él hallamos un énfasis especial en las tesis conmemorativas, en las nuevas imágenes del poder y la trascendencia tan sugerentemente expresadas por los nuevos lenguajes venidos de Italia, todo ello con tal eficacia que en adelante vendrá a identificar de modo emblemático a la ciudad y su cultura en competencia incluso con su rico y excepcional período medieval, permaneciendo durante siglos como modo fundamental de diseñar. Los exteriores de esta ingente fábrica muestran a un Siloe en pleno dominio del repertorio decorativo del Renacimiento, capaz de generalizar un lenguaje en el que la trascendencia se expresa a través del prestigio de lo Antiguo. Cuatro de las portadas de la Catedral se completaron antes de su muerte: la del Ecce Homo, la de la Sacristía, y los primeros cuerpos de las del Perdón y San Jerónimo.

La Puerta del Ecce Homo es adintelada, entre columnas y entablamento, diseñada con claridad; las criaturas fantásticas y los

Puerta del Ecce Homo (1531)

grutescos constituyeron una nueva emblemática. Se realizó en 1531, y Siloe esculpió una medalla del Ecce Homo para ella cuyo diseño recuerda el de Andrea Sansovino para la capilla de San Juan en Monte Sansovino. La Puerta de la Sacristía se concluyó en 1534; la corona un tondo con la Virgen y el Niño, flanqueado por imágenes de san Pedro y san Pablo; se abre con un medio punto, con ménsula en la clave, ángeles en las enjutas que recuerdan el tema de las antiguas victorias, y *candelieri* insertos en las pilastras que parecen tener las mismas implicaciones alegóricas, pues Sagredo les da un origen antiguo rela-

Portada de San Jerónimo (1532-1639)

cionándolos con el ritual del sacrificio y recomendando su utilización, precisamente, en las pilastras.

La portada de San Jerónimo fue la entrada al crucero secundario y estuvo llamada a ocupar una importante función ceremonial con respecto a la de la capilla del Sagrario que se alzaría al otro lado del crucero menor. Si a esto se añade que funcionó como el término arquitectónico de un gran eje urbano que unía la Catedral y el monasterio de San Jerónimo, abriendo el gran centro conmemorativo y religioso a los núcleos en expansión, su importancia en el plan simbólico se acentúa. Medallas, grutescos, cartelas, son ahora entre otros los términos que configuran el discurso del nuevo simbolismo, que define a su vez la ciudad sobre cuya imagen influye. El cuerpo inferior de la portada lleva la fecha de 1532 y en el superior aparece la de 1639, pues hubo de ser continuada por Maeda; su cuerpo alto se vincula a la tradición de Siloe, aunque desaparezca la claridad en el diseño. La imagen de san Jerónimo es obra probable de Diego de Pesquera.

El proyecto de exteriores renacentistas culmina en la Puerta del Perdón, la entrada al crucero principal por el lado opuesto a la Capilla Real. El cuerpo inferior se completó bajo la dirección de Siloe y constituye la obra maestra del diseño monumental del plateresco. Es una versión de un modelo desarrollado a fines del siglo XV en Lombardía, que tuvo gran difusión a través de los tratadistas: columnas pareadas y exentas sobre pedestales, con dos cuerpos de nichos en los intercolumnios, a ambos lados del arco, esquema que recuerda numerosos ejemplos de la arquitectura triunfal romana. De la significación de este vocabulario historicista, derivado del legado clásico, tenemos una confirmación en el tratadista Diego de Sagredo, que considera las columnas exentas sobre pedestales el motivo distintivo de los arcos de triunfo y el más apto para expresar la idea de majestad. El conjunto se proyectó con cuatro cuerpos; los superiores se completaron en el siglo XVII. La parte superior la dirigió Ambrosio de Vico, hacia 1610, y los relieves de Dios Padre, David e Isaías son obra probable de Martín de Aranda; no se ejecutó el de la Encarnación que era, sin embargo, la iconografía fundamental. Privada de los desarrollos ornamentales del cuerpo bajo deshace la congruencia del conjunto. Entre sus posibles modelos se encuentra la portada de Castel Nuovo y el Triunfo de Alfonso V en Nápoles, que Siloe debió conocer cuando trabajó en la capilla Caracciolo. Todo el repertorio ornamental está dirigido a enfatizar la idea del triunfo: las guirnaldas que abrazan las columnas, las figuras de la Fe y la Justicia relacionadas por situación con las victorias de los arcos triunfales, grutescos e imaginería fantástica de origen tardorromano, utilizados ampliamente en la figuración italiana, y todo ello sometido a la estructura arquitectónica que, como veíamos, consti-

Primer cuerpo de la puerta del Perdón (siglo XVI)

tuye el núcleo simbólico. Y sin embargo, junto al repertorio clásico se expresa todavía una emblemática de carácter medieval. Los grandes escudos –el imperial y el de los Reyes Católicos– en los machones parecen significar que todavía la gran alegoría resulta abstracta y necesita algunos auxilios, además de reflejarse a su través el origen medieval del poder que ha dado vida a esta gran fábrica. No en vano el conjunto conmemorativo gótico que precede a la Catedral –la Capilla Real– se abría procesionalmente al exterior mediante esta portada, tras cruzar la Catedral.

Fachada principal

La fachada principal la proyectó Siloe como un gran arco de triunfo, que según Lázaro de Velasco debía esculpirse como la portada del crucero, flanqueándola dos torres que estarían compuestas de cuatro cuerpos. Los dos primeros, cuadrados con soportes de órdenes clásicos, dórico y jónico respectivamente; el tercero, octogonal con columnas corintias y vanos en sus lados, salvo en el que se embutiría la escalera; el cuarto, de planta de orden compuesto, y sobre él una linterna. El modelo triunfal, que se desarrollaría en el siglo XVII transformado en la obra barroca proyectada por Alonso Cano, sigue el creado por León Batista Alberti en la iglesia de San Francisco de Rímini (ha. 1540), y los que hicieron para la basílica de San Pedro Vaticano Antonio da Sangallo *el Joven* o Baldassare Peruzzi. El tema arquitectónico lo hemos visto reiterarse en otros exteriores, y también estará presente en los arcos de las capillas de la girola y las naves, y en los túneles en torno a la capilla mayor, reproduciendo en todos ellos el diseño triunfal como un *leit-motiv*.

Alonso Cano diseñó en 1667 el proyecto triunfal para la fachada catedralicia. Su muerte ese mismo año supuso que el proceso constructivo fuera desarrollado por maestros distintos a su creador, José

En las páginas siguientes: Fachada de la Catedral de Granada (siglos XVII-XVIII), de Alonso Cano.

Granados de la Barrera entre 1668 y 1685, y Melchor de Aguirre hasta 1695; a ellos cabe atribuir transformaciones que explican lo que desde antiguo consideraban indecisiones en el proyecto, el único diseño arquitectónico atribuible con seguridad a Cano que conservamos. Todavía se harán más sensibles las modificaciones como consecuencia de la decoración escultórica del siglo XVIII, ya que la obra de Risueño y de los Verdiguier difiere del repertorio ornamental de Cano, despegándose de la comprensión de la monumentalidad espacial propia del siglo anterior: los decoradores no comprenden ya las exigencias monumentales del espacio del Seiscientos.

Frente a las opiniones que han considerado la fachada como un gran retablo de piedra hay que resaltar el valor estructural y simbólico de esta imponente arquitectura conmemorativa que tanto había de pesar en la remodelación urbanística y arquitectónica de la ciudad seiscentista. En esta extraordinaria estructura el ejemplo clásico permanece vivo, siendo indudable el recuerdo de las puertas triunfales romanas en la disposición de los tres arcos rehundidos, disposición inspirada en Alberti, frecuente en el siglo XVI y no tanto en el siglo XVII. La vigorosa interpretación del modelo renaciente ha marcado, sin la menor duda, la percepción moderna de la ciudad.

Sobre el origen que pueda tener esta solución, Gallego Burín ha sugerido la posible influencia de un proyecto del siglo XVI –la fachada de la iglesia colegial de Santa María la Mayor de Antequera–, aunque parece más lógico pensar que en Cano haya resultado determinante la reconstrucción del proyecto de arco triunfal de Siloe por Lázaro de Velasco. A su vez Wethey recuerda que Alonso Cano en su calidad de artista cortesano, al realizar en 1649 el arco triunfal para doña Mariana de Austria en Madrid, habría revalorizado y transformado el tema tradicional adaptándolo a exigencias barrocas. En efecto, la tendencia barroca española era la de dar énfasis a las relaciones verticales de la fachada. Cano se encontraba con el problema de un edificio ya realizado con cinco naves y dos torres extendiéndose a los lados. Para las fachadas de esta amplitud juzga Rosenthal que el modelo habitual era la realizada por Carlo Maderna para la basílica de San Pedro Vaticano. Cano mantuvo una actitud profundamente comprensiva hacia la arquitectura histórica que su fachada concluía; a la vez, los desarrollos formales de su proyecto resultan plenamente modernos, adecuados a las nuevas tendencias de presentación de exteriores y a sus significaciones urbanísticas.

La profesora Félez Lubelza señala cómo, frente a la manera normal de concebir la fachada como retablo o telón sin relación con la estructura interna de la

Torre del ángel en la fachada de la Catedral de Granada

iglesia, aquí Cano se adapta fielmente a las cuatro filas de pilares del interior, reflejándolos en los cuatro grandes estribos que sustentan tres arcos rehundidos, más alto el central, y en gradual disminución hacia los lados; ello constituye, por tanto, un serio esfuerzo por la integración de ambas realidades espaciales.

En cuanto a los aspectos formales, composición, sistemas de soporte y repertorio ornamental, resultan absolutamente contemporáneos y personales. Del arco de triunfo que hizo en Madrid en 1649, dice Lázaro Díaz del Valle que era «obra de tan nuevo usar de los miembros y proporciones de la arquitectura que admiró a todos los demás artífices, porque se apartó de la manera que hasta estos tiempos habían seguido los de la antigüedad». La experiencia del «triunfo» de Mariana de Austria afloraría en el estilo arquitectónico tardío de Cano en una «desvalorización» de los órdenes clásicos, resultado de la nueva psicología de los creadores barrocos que persiguen la idea de modernidad con preferencia a las seguridades derivadas de la ortodoxia clásica. A pesar de eso, como señaló Gómez-Moreno Martínez, «ni el estípite, ni la columna salomónica logran el favor de Cano; su actuación se caracteriza por un instinto de lógicas depuraciones sin sustituir lo antiguo por equivalentes extravagantes». No obstante, la disposición es insólita y heterodoxa, al aparecer vanos de vertiginosa altura en relación con la anchura, articulados por salientes machones forrados de seudopilastras que flanquean los soportes principales de listones, carentes de capitel, y sustituidos por su característico golpe de hojarasca carnosa y curvada en volutas. En realidad Cano adapta y estiliza la columna del «sexto orden» de Vincenzo Scamozzi, que añade al capitel dórico el follaje corintio, orden empleado ya por el hermano Francisco Bautista en la iglesia de San Isidro de Madrid. La hojarasca también será un elemento distintivo en la proyectiva madrileña del siglo XVII; tiene su origen en los repertorios decorativos de los manieristas alemanes y sus primeras versiones en artistas sevillanos como Francisco de Herrera el Viejo y Francisco Pacheco, aunque fue Cano quien más contribuyó a popularizarla. La división en dos cuerpos se realiza por una cornisa que parece seguir su rumbo independiente del entablamento, pues éste queda muy hundido bajo los arcos y sin embargo aparece normal en los salientes, pilastras y estribos; este entablamento aligerado lo usó también en el retablo de la Iglesia Mayor de Lebrija, ejecutado entre 1628 y 1636.

Las relaciones con la arquitectura de la Corte, tan vivas en la experiencia de Cano, son muy estrechas en esta obra. René Taylor señala que en ella utilizó «todos los constituyentes del estilo geométrico vigente en Madrid, tales como alargados listones, paneles salientes y rehundidos, óvalos, placas y pinjantes, si bien logró dotarlos de mayor complejidad y animación». Su uso no se dirigía a disimular debilidades estructurales como es frecuente en las fachadas madrileñas, sino a reforzar las líneas de una composición organizada en profundidad, de valores altamente escenográficos.

Finalmente, en cada una de las tres calles que marcan la fachada vemos una serie de vanos sobre las puertas: sencillos y circulares en los laterales, y formando una estrella de diez puntas en el centro, quizás uno de los pocos detalles del conjunto realmente comunes con el lenguaje de Borromini. Sobre estos óculos se extiende un tema de abolengo en Cano: sus típicas guirnaldas con flores y frutas. En ellas es clara la influencia italiana, pues las usó Miguel Ángel en la escalera de la Biblioteca Laurenciana de Florencia, y ya aparecen en obras de juventud de Cano como el retablo de Lebrija. El conjunto está cobijado por los arcos como gigantescos guardapolvos sobre los cuales se curva el entablamento superior; aparecen encima una serie de remates a modo de pináculos poco acordes con la grandiosidad del resto.

Taylor plantea el problema del grado de fidelidad a la traza de Cano observado por quienes la ejecutaron, suscitando serias dudas al respecto. A pesar de admitir la procedencia canesca de los motivos decorativos resulta necesario discernir si figuraban o no en el diseño original. El ático y los pináculos son invención de Melchor de Aguirre, según revelan las Actas Capitulares de 1692. Pueden deberse a Granados las innovaciones en el plan ornamental, muchos de cuyos motivos no están bien integrados en el conjunto, sobre todo en el segundo cuerpo. Los alargados colgantes y, todavía más, las guirnaldas del ancho tramo central parecen haber sido introducidos arbitrariamente sin excesiva referencia a la estructura, en un gesto no previsible en un proyectista como Cano. Es de observar también que esta decoración está sobre todo comentada en la mitad superior de la fachada, es decir, en la parte que se construyó en último lugar, lo que no es habitual en los diseños auténticos de Cano, tan rigurosos en el equilibrio.

Tondo de la Anunciación (1717) en la fachada de la Catedral, de José Risueño.

Este desacuerdo entre estructura y ornato debe atribuirse al desfase entre la concepción de este exterior y su ejecución. Granados, por propia iniciativa o a instancias de los capitulares, iniciaría este *enriquecimiento* separándose del proyecto monumental de Cano, atento a completar las significaciones del programa clasicista del Quinientos para enmascararlo mediante adornos o «caprichos» que propone al Cabildo, que se refieren a usos suntuarios que dominaron el ritual del siglo XVIII, época en la que se culmina la transformación de la fachada. Ningún diseño del racionero Cano autoriza tales usos; ni la inmediata torre de San Miguel, ni su proyecto de fuente, ni el arco de triunfo madrileño en cuanto refiere Lázaro Díez del Valle, ni finalmente el programa para el exterior de la iglesia del Ángel Custodio.

El programa escultórico se realizó en el siglo XVIII, cuando José Risueño esculpió el tondo de la Anunciación sobre el portal central, en 1717. Sánchez-Mesa Martín señala las relaciones iconográficas y compositivas de la obra del seguidor con la de Cano y destaca la valoración pictórica y escenográfica del relieve. Wethey relaciona, por otra parte, la presencia de vanos y relieves circulares en el proyecto de Cano con una comprensión historicista de las tradiciones arquitectónicas del Renacimiento, de Siloe o Machuca. Mucho más anacrónicos resultan los restantes relieves ejecutados en torno a 1782 por el francés Michel Verdiguier, con la ayuda de su hijo Louis: cuatro medallones elípticos con los Evangelistas en las pilastras del primer cuerpo, totalmente ajenos a Cano, igual que los amplios relieves sobre los portales menores que representan la Visitación y la Asunción. De esta manera, la nueva fachada va a influir decisivamente en la imagen barroca de la ciudad, presidiendo el crecimiento urbano del siglo XVII a través de la plaza de Bibarrambla.

Las torres, pensadas dentro de la más estricta ortodoxia albertiana, constituyen un discurso que se desarrolla a través de la sucesión de cuerpos, definidos a partir de plantas que identificarían las formas geométricas ideales del repertorio platónico y órdenes clásicos. Su ejemplaridad está presente en el proyecto de Donato Bramante para San Pedro Vaticano o en la iglesia de San Biagio de Montepulciano, obra de Sangallo el Viejo. El proceso tiene un gran interés cultural y artístico, por cuanto las torres, como elemento propio de la tipología arquitectónica medieval basado en idénticas necesidades litúrgicas

Torre de la Catedral (siglo XVI)

que las que marcan la arquitectura religiosa del Renacimiento, deben adecuarse a las nuevas significaciones y al nuevo lenguaje clásico. A tal efecto, los tratadistas recurrieron a una falacia que consistía en afirmar el carácter antiguo de tal elemento, llegando Alberti a escribir un capítulo sobre las «altas torres de la Antigüedad», con dibujos imaginarios de torres con pisos cuadrados, circulares y octogonales que evocarían las del Coliseo y el Foro romano. Los repertorios ornamentales propuestos para cubrirlas las vinculan a las exigencias de la conmemoratividad antigua. De esta forma se da la circunstancia de que estas elevadas construcciones siguen dominando la realidad urbana al modo medieval, pero incorporando a su fisonomía nuevos valores formales y simbólicos.

Sólo se elevó, y aun ésta de forma incompleta, la torre de la izquierda. Debió de comenzarse por el propio Siloe antes de 1538. Maeda, su sucesor, llevó a cabo lo restante del primer cuerpo, de 1564 a 1569. Las obras se detuvieron por la rebelión de los moriscos durante siete años. Al morir Maeda se labraban la bóveda de la torre y las estilóbatas del segundo cuerpo. Le siguió Orea y a éste Ambrosio de Vico, el encargado de terminarla en 1589. Para ello se procedió a levantar otro cuerpo octogonal, de orden toscano, pero razones de seguridad obligaron a desmontarlo. Un intento de concluirla en 1618 no terminó en nada.

Cabecera

En la Catedral Siloe concibió un símbolo arquitectónico de gran fuerza, destinado a alcanzar una gran trascendencia cultural, tanto en Andalucía como en América. La extraordinaria importancia del plan se manifiesta en los niveles ritual y conmemorativo. La cabecera es el elemento principal; supone un diseño excepcional en la arquitectura religiosa del Quinientos, aunque se ha querido relacionar con la tendencia del siglo XV a centralizar la iglesia en torno a la torre del crucero, o su cúpula en los casos italianos, como las iglesias de los monasterios de San Juan de los Reyes de Toledo o de San Jerónimo en Granada, y la gran cúpula sobre el crucero de la Catedral de Pavía.

Esto no vale para la obra de Siloe, puesto que la cúpula no se encuentra sobre el crucero, sino que cubre la capilla mayor situada al este. El proyecto más próximo es el de la iglesia de la Anunciación en Florencia, compuesta de un santuario redondo y una nave rectangular, unidas por un arco triunfal, esquema que se refleja en el templo de San Salvador de Úbeda. Pero como expresa Rosenthal, en la Catedral de Granada son varias las naves y la rotonda se engrandece por una girola concéntrica, cuyo modelo está en Santa Constanza de Roma. A la rotonda añadió Siloe una basílica de cinco naves, constituyendo así una iglesia del tipo conocido como

Cabecera y torre de la Catedral de Granada vista desde el Cenete

Cúpula de la Catedral

Arco toral entre la capilla mayor y la nave de la Catedral

grabkirche, de origen paleocristiano, resultante de la unión por medio de un arco triunfal de una basílica con un mausoleo, *martirium* o iglesia conmemorativa de planta central. De éstas, la única que perduró hasta el siglo XVI fue la basílica del Santo Sepulcro de Jerusalén, cuyas relaciones con el programa granadino han sido analizadas por el profesor Rosenthal.

En un pensamiento de carácter arqueológico estos espacios, unidos a las formas del arte clásico en las columnatas y arquerías, evocaban la Roma de la cristiandad primitiva. Tales exigencias histórico-arqueológicas se cumplen en todas las soluciones constructivas adoptadas por el tracista. Así, la cúpula apoya directamente sobre la base cilíndrica que le proporcionan los muros curvos de la rotonda. Como señala Rosenthal este tipo de cubierta es ajena a la tradición arquitectónica hispana, tanto islámica como cristiana. El tipo de cubierta de la capilla mayor, raramente usado desde la antigua Roma, está en apariencia más próximo al Panteón que a otros edificios cristianos. Pero el horizonte técnico medieval es asumido por Siloe; así, la estabilidad de la cúpula, como las que construyeron Filippo Brunelleschi y varios arquitectos lombardos, depende de una estructura de nervios arqueados cerrada por materiales ligeros en los intersticios.

Se trata, pues, de un plan decididamente destinado a mantener un funcionamiento conmemorativo, por lo que todas las decisiones constructivas y representativas se adoptaron a partir de un repertorio de carácter histórico, dotado de todo el prestigio que los modelos procedentes de la Antigüedad confieren. Un elemento distintivo va a ser, sin duda, el rito, en la forma en que éste debía celebrarse en un espacio tan rigurosamente definido, que lo va a diferenciar profundamente de las prácticas litúrgicas de la época. La disposición centrípeta de la cabecera se establece en función de un ritual eucarístico de exposición, pero lo más sorprendente es el altar diseñado por Siloe en 1561 y reproducido por el grabador Francisco Heylan: un simple cubo sin candelabros ni retablo –ambos, exigencias medievales–, situado en el centro de la capilla, frente a la disposición tradicional en su fondo, y cubierto con un baldaquino, sin gradas delante, lo que supone que el sacerdote debía colocarse detrás de él y mirando hacia la nave para oficiar. Hay en todo ello una recuperación arqueológica del primitivo ritual cristiano –éste es el sentido arqueológico que se observa en el baldaquino que imita el edículo del Santo Sepulcro–, que debe relacionarse con los deseos de los reformistas católicos y con las particulares ideas teológicas de fray Hernando de Talavera y sus discípulos, entre los que se contaba fray Pedro Ramírez de Alva, que nombró a Siloe arquitecto mayor de la Catedral.

Interior de la Catedral

Idénticas opciones aparecen claramente en el plan iconográfico de la capilla mayor, en el que con posterioridad la ideología y el ritual contrarreformista impondrán importantes alteraciones. Las elecciones de la tipología arquitectónica funeraria y triunfal antigua en la rotonda y en el edículo se justifican por la decisión del Emperador de convertir la capilla mayor en mausoleo imperial, lo que explica también el ritual eucarístico de exposición. Los Reyes Católicos habían pedido que sus sepulcros estuvieran colocados ante el Santísimo Sacramento, ya que en su intención la Capilla Real debía funcionar como sagrario de la futura Catedral. Carlos V, al decidir enterrarse en ésta, solicitó los mismos privilegios para su propia capilla; ambas decisiones debieron de constituir el punto de partida del complejo discurso historicista destinado, a fin de cuentas, a expresar la ejemplaridad de la Monarquía, en la ciudad que simboliza su gran victoria religiosa y política.

Rosenthal recuerda que asimismo se construyó por encargo del Emperador una copia del Santo Sepulcro en 1529 en la iglesia del monasterio

Vista parcial de la capilla mayor y arranque de la girola

de Uclés, siendo prior Carlos V. En Granada un proyecto de pretensiones arqueológicas permitía también enlazar con la imagen de la iglesia primitiva, sojuzgada durante el período islámico, y en concreto con la del santo fundador, el sacromontano san Cecilio, que tanta importancia había de adquirir en la Contrarreforma granadina.

En cuanto a la decoración interior de la Catedral granadina, en la capilla mayor se desarrollan varios ciclos figurativos: esculturas, pinturas, vidrieras. Aunque de distintas épocas, constituyen un coherente discurso histórico-religioso, que se expresa a través de un riguroso plan ritual e iconográfico en símbolos y formas. La advocación principal a la Encarnación, que es la del templo y la que domina el programa, alude al primer acto histórico de la Redención, constituido en el argumento fundamental de los reformadores católicos del siglo XVI primero, y más tarde de la teología contrarreformista del Barroco.

De estos ciclos, el primero en realizarse fue el de las

LA ADVOCACIÓN A LA ENCARNACIÓN. En las convulsiones que el Cristianismo está sufriendo en la Europa del Renacimiento, así como en la particular situación de Granada como tierra de evangelización encontramos la raíz del enorme desarrollo de la iconografía mariana en esta ciudad durante la Edad Moderna. La Encarnación, como uno de los temas principales del repertorio mariano, será objeto de consideración por parte de teólogos cristianos desde el momento en que es considerada el origen mismo de la Redención, de la vida de Cristo en la Tierra, el momento en que se hace efectiva la mediación de María entre Dios y los hombres, según muestran los programas iconográficos de la capilla mayor y de la fachada de la Catedral.

La Catedral propone una reafirmación triunfante de uno de los dogmas que desde Centroeuropa se están poniendo en duda: el credo protestante deslegitima cualquier mediación entre Dios y el hombre y, por ende, la mediación de María en la Redención. Rechaza también el ritual eucarístico, cuyo primer momento es la Encarnación, con el cuerpo de María como primer ostensorio de la cristiandad. El misterio de la Encarnación de Cristo, primer momento de la iconografía cristológica, es también advocado en virtud de la necesidad de Redención para la ciudad de Granada y sus habitantes, idea vinculada a los procesos de evangelización que se llevaban a cabo en las mismas fechas.

De este ambiente teológico surge la colocación de la primera piedra de la Catedral el día 25 de marzo, día de la Encarnación, así como la presencia de este dogma en los programas iconográficos de la fachada y de la capilla mayor, resumiendo ya varios de los componentes de la religiosidad granadina posterior, como la devoción mariana, su carácter cristológico y contrarreformista y el culto a la presencia eucarística que se materializará en la institucionalización de la festividad del Corpus Christi.

Ciclos figurativos de la capilla mayor

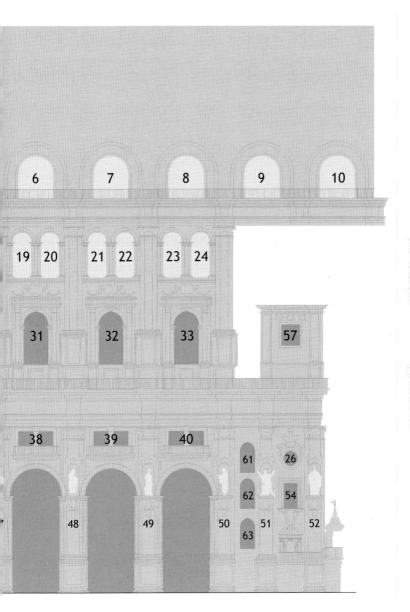

HISTORIA DE LA REDENCIÓN
(vidrieras)
1. Predicación de Juan Bautista
2. Martirio de Juan Bautista
3. Cristo y la samaritana
4. Cristo con la Cruz a cuestas
5. Crucifixión y muerte de Cristo
6. Descendimiento de la cruz
7. Resurrección
8. Aparición a María Magdalena
9. Ascensión
10. Pentecostés
11. Pecado original
12. Nacimiento de Jesús y adoración de los pastores y ángeles
13. Matanza de los inocentes
14. Circuncisión de Jesús
15. Adoración de los Reyes
16. Bautismo de Jesús
17. Transfiguración
18. Institución de la Eucaristía
19. Lavatorio de los pies
20. Oración del Huerto
21. Prendimiento
22. Flagelación
23. Coronación de espinas
24. Eccehomo

PRIMEROS PADRES (esculturas)
25. Busto de Adán
26. Busto de Eva

VIDA DE LA VIRGEN (pinturas)
27. La Inmaculada Concepción
28. La Natividad
29. La Presentación
30. La Encarnación
31. La Visitación
32. La Purificación
33. La Asunción

PADRES DE LA IGLESIA (pinturas)
34. San Isidoro y san Bernardo
35. San Ildefonso y san León

36. San Gregorio y san Ambrosio
37. San Jerónimo y san Agustín
38. Santo Tomás de Aquino y san Buenaventura
39. San Juan Crisóstomo y san Basilio
40. San Juan Nacianceno y san Atanasio

APOSTOLADO (esculturas)
41. Pedro
42. Mateo
43. Matías
44. Judas Tadeo
45. Bartolomé
46. Felipe
47. Santiago el menor
48. Tomás
49. Juan Evangelista
50. Santiago el mayor
51. Andrés
52. Pablo

REYES (esculturas)
53. Rey Católico (Fernando V de Aragón)
54. Reina Católica (Isabel I de Castilla)

55. TABERNÁCULO

SANTOS PATRONES (pinturas)
56. Santiago
57. San Cecilio

SANTOS FUNDADORES
(esculturas 58-63)
San Francisco de Asís
San Francisco Javier
San Pedro de Alcántara
Santo Domingo de Guzmán
San Ignacio de Loyola
San Juan de Dios

vidrieras que decoran los cuerpos superiores de la capilla mayor y la girola, y de las que cabe destacar su homogeneidad y unidad temática, debidas a su rápida realización (1554-1561). Son obra de Juan del Campo y Teodoro de Holanda, bajo la dirección de Diego de Siloe, quien proporcionó diseños para ellas y debió de fijar el programa iconográfico. Como señala Víctor Nieto, su disposición está determinada por el plan litúrgico del edificio y por la composición radial de la cabecera, donde cada ventana se encuentra en relación directa con el punto central de la rotonda destinado al tabernáculo. El carácter escalonado de la cabecera –capillas de la girola, nave de la girola y capilla mayor– permitió abrir vanos a tres niveles. La mayor altura de la nave de la girola con respecto a las capillas hizo posible abrir sobre los arcos de acceso de éstas un cuerpo de

Detalle de *Cristo y la samaritana* (1560), vidriera de Juan del Campo.

luces formado por veintidós vanos, en los que se desarrolla el primer ciclo del programa iconográfico dedicado a la Vida de la Virgen, Apóstoles, Evangelistas y Padres de la Iglesia.

El segundo y principal de los ciclos se desarrolla en los ventanales de la capilla mayor, destacada notoriamente sobre la nave de la girola en altura. Los dos cuerpos de ventanas

–diez en el superior y catorce en el inferior– crean un auténtico retablo traslúcido abierto en los muros de cierre de la capilla. En sus vidrieras se representa una historia completa de la Redención. El diseño renacentista de los vanos –sin parteluces– es considerado por Nieto como determinante del estilo, permitiendo el desarrollo de grandes composiciones y facilitando la identificación y lectura iconográfica de los temas. En cuanto a la significación de las vidrieras, estima que se trata de una elección medieval, que a través de la luz no natural como un valor simbólico trascendente completa la significación del programa iconográfico.

Éste fue el único de los ciclos decorativos concluido antes de la muerte de Siloe en 1563. En su disposición se puede percibir la relación jerárquica entre los dos términos que componen el discurso: el histórico-sacral, desarrollado en la girola, y el mistérico, que se concentra en los vitrales de la capilla mayor. Tal relación se va a reproducir en los ciclos esculpidos y pintados para el mismo lugar en época barroca, en los que los temas de significación historicista, en riguroso paralelismo con los desarrollados por las vidrieras de la girola, se subordinarán a los relacionados con el central de la historia de la Redención, de la que todas las figuras y todos los símbolos aquí representados derivan su legitimación, y de cuyo triunfo constituyen la expresión temporal.

Los libros de coro de la Catedral son el mejor camino para conocer el tránsito del Gótico al Renacimiento en pintura. También ellos muestran la estrecha coherencia que el gran programa litúrgico catedralicio supone en la proposición de nuevos horizontes culturales. En los grandes libros rituales trabajaron sucesivamente varios maestros. A Juan de Cáceres se le cita por primera vez en 1521, como excelente decorador que desarrolla un repertorio plateresco, siendo por lo demás un narrador de carácter gótico. En la Capilla Real trabaja un maestro, Pérez, que desarrolla interesantes escenarios renacentistas. La figura más destacada de la iluminación del siglo XVI fue Juan Ramírez, el más importante pintor granadino junto a Machuca, que trabajó en la librería de la Catedral desde 1520 a 1554 con una breve interrupción. Miniaturistas más tardíos son Juan Soriano, Lázaro de Velasco, hijo de Jacopo Florentino, y Juan de Cáceres, citados por Angulo.

Libro de coro de la Catedral

Se concede gran importancia al autor desconocido del retablo de Santa Ana, responsable igualmente del de la Asunción en la iglesia parroquial de San José. Muestran una cierta continuidad con la obra de Juan

Retablo de Santa Ana (1531)

Ramírez, aunque desinhibidos de influencias cuatrocentistas; inician junto con Machuca la pintura rafaelista. El retablo de Santa Ana, fechado en 1531, decora la capilla señorial de Hernando del Pulgar, su enterramiento, y une una vez más la poética del Clasicismo con las prácticas conmemorativas: «El típico agrupamiento de las Sagradas Familias rafaelescas es patente. Pero el artista, después de ofrecernos este tierno idilio familiar, nos recuerda la gesta heroica origen de la capilla, y en la forma más inesperada hace surgir ante nosotros, del borde mismo del cuadro, el potente puño de Hernando del Pulgar cubierto por la manopla de la armadura, que mantiene enhiesto un cirio triple de retorcidos cabos para ofrendarlos, sin duda, a la Abuela, a la Hija y al Nieto» (Angulo Íñiguez). Lo gestual y emblemático enmarca la definición moral que de la aristocracia castellana proporciona el Clasicismo.

Pero la culminación de la decoración interior de la Catedral es una empresa decididamente barroca en la que sobresale nuevamente la capilla mayor, auténtico laboratorio de la figuración granadina del siglo XVII. De gran originalidad iconográfica y formal, reúne las intervenciones de los principales escultores y pintores seiscentistas anteriores y posteriores a la obra de Cano, su cumbre.

En la escultura de la capilla mayor se va a iniciar el cambio estético e histórico que definirá el Barroco granadino. Los seis santos coronados que aparecen en los tres nichos verticales de cada lado del arco triunfal, representando a san Francisco de Asís, san Francisco Javier, san Pedro de Alcántara, santo Domingo de Guzmán, san Ignacio de Loyola y san Juan de Dios, que datan de 1674, y fueron donados a la Catedral por las respectivas órdenes religiosas, suponen una lectura barroca de las altas significaciones del santuario. El grupo que componen, a modo de *sacra conversazione* dentro del conjunto, no muestra otra cosa que el interés político-eclesiástico de la Iglesia militante por incluirse en una escala ejemplar que contiene entre sus términos el Triunfo de Cristo y el Triunfo de la Iglesia.

Capilla mayor de la Catedral de Granada

En cuanto al apostolado dorado que aparece en las columnas del primer cuerpo de la rotonda parece estar de acuerdo con la iconografía originalmente pensada para ese lugar, pues mantiene una relativa concordancia con la distribución de los Apóstoles de la girola. Gómez-Moreno considera que es obra de Bernabé de Gaviria, hecha hacia 1613, tal vez en colaboración con Martín de Aranda, aunque el san Pablo es obra de Alonso de Mena. Buena parte de la obra de Bernabé de Gaviria ha desaparecido, pero lo que se conserva constituye un programa plástico riguroso cuya comprensión se facilita si tenemos en cuenta que no le era ajena la formación como proyectista de arquitecturas; de ahí las preferencias que muestra lo más importante de cuanto se le atribuye: las diez colosales figuras del apostolado catedralicio. Ejecutadas en

San Pablo (siglo XVII), de Alonso de Mena, en la capilla mayor.

madera dorada, se integran en el conjunto de la capilla mayor completando su programa iconográfico; el movimiento, entre otros recursos expresivos, define un plan que inicia los grandes interiores contrarreformistas. Gómez-Moreno lo comentó así: «Son figuras como de pescadores exaltados llevando los instrumentos de sus respectivos martirios, con atavío de ropas alborotado, a surcos y candiles; cada uno a su modo moviéndose y hablando para revelarse, con tal derroche de originalidad su apostura, como tal vez nunca se logró en hermanada serie de tipos».

Con esta obra se reunió en torno a la capilla mayor a todos los decoradores del primer Barroco, que definieron sus formas dentro de la reflexión sobre el lenguaje y las significaciones del gran arte conmemorativo del siglo XVI. El mismo Gómez-Moreno refiere del arte de Gaviria cómo es «una evolución popular del sentimentalismo encarnado allí de antiguo por Jacobo Florentino, Diego de Siloe y Diego Pesquera». El colegio apostólico cumple un amplio programa de significaciones simbólicas: ellos son los primeros en participar del rito eucarístico, y como seguidores de Cristo en la Tierra y testigos de su Transfiguración y Ascensión al Cielo, participantes en el acto de la Salvación y el establecimiento de la Iglesia en la Tierra; su posición en las columnas sosteniendo la rotonda recuerda la tradicional referencia a los Apóstoles como pilares de la Iglesia. Alonso Cano y su discípulo Pedro de Mena completaron el conjunto, el primero con los bustos de Adán y Eva, representación simbólica de la Humanidad, y Mena con las figuras orantes de los Reyes Católicos, emblemático contrapunto histórico de la iconografía trascendente de los cuerpos superiores.

El Cabildo había involucrado a Cano, a su regreso en 1652, en el plan de ornamentación, encomendándole el diseño de obras de carácter suntuario que habrían de suponer una nueva etapa en su escultura, arte escasamente practicado en su época madrileña. Las obras que ahora realiza, aunque poco numerosas, son las mejor conocidas de este maestro. El facistol constituyó su primer proyecto, pues habiéndosele encomendado poco después de su llegada estaba concluido en mayo de 1656. En esta misma fecha sobresale la pequeña imagen de la Inmaculada Concepción que talló para el tabernáculo que coronaba el facistol, y fue pronto trasladada a la sacristía catedralicia. El enorme facistol sigue un diseño de larga tradición eclesiástica, pero resulta poco usual la combinación de la madera de

Inmaculada Concepción (1656) de Alonso Cano

caoba con adornos de piedra serpentina y bronces dorados, de formas significativamente propias de Cano y que se repiten en las lámparas que cuelgan ante el tabernáculo, todo realizado por plateros barrocos. De las imágenes realizadas para coronarlo la de la Inmaculada excede en fama a la mayoría de las obras de su autor. Sus reducidas dimensiones recuerdan la escala de los decoradores cortesanos del manierismo; tuvo gran trascendencia en el arte granadino. Por lo que respecta a su significación artística, pertenece al tipo de la Virgen muy joven, representación no alejada de la tierna edad de doce años preconizada por Francisco Pacheco como ideal para la Inmaculada. Sus afinadas proporciones y su expresividad la hacen aparecer muy distante de otras obras marianas del propio Cano, como la Virgen de Lebrija, anterior en veinticinco años, y aproximan esta talla a las pinturas de tema concepcionista del Museo de Bellas Artes de Álava o de la colección Infantas. Este modelo escultórico lo repitió en el gran lienzo del oratorio de la Catedral. Las numerosas copias de esta estatuilla realizadas por los discípulos de la escuela pasaron durante el siglo XIX por obras del maestro.

En 1664 Cano realizó el pequeño grupo de la Virgen de Belén para el mismo destino, resolviendo el problema de su contemplación desde abajo en una composición que coincide con la del lienzo que representa a la Virgen con el Niño sentada sobre nubes, de la inmediata Curia

Eclesiástica. Estuvo en el lugar para el que fuera concebida por lo menos hasta comienzos del siglo XIX, pasando después a la sacristía y finalmente al museo donde hoy se exhibe. Con ambas imágenes se inicia una larga tradición en la imaginería granadina: tallas llenas de gracia que continúan con rigor la concepción iconográfica y expresiva de estos modelos que, realizados para un espacio exclusivo como el coro, abrían las posibilidades de un arte devocional doméstico, cuyo espacio será el oratorio.

Bustos de Adán y Eva (hacia 1660), de Alonso Cano.

Entre las obras esculpidas por Cano conservadas en la Catedral figuran tres bustos que constituyen un testimonio de los intereses historicistas en la poética de Cano. Los que representan a Adán y Eva, situados en sendos nichos en el arco triunfal, debieron realizarse poco antes de la muerte de Cano y se policromaron después por Juan Vélez de Ulloa. Se ignora si fueron

ejecutados para la actual ubicación, pues no habían sido contratados por Cano con el Cabildo, que los adquirió en la testamentaría del artista. Eva esta concebida dentro de los tipos femeninos de la última época, que encontramos en las pequeñas esculturas y en la pintura mariana; en cuanto a Adán no existe precedente en la obra de Cano. Constituyen así un auténtico programa monumental por su tamaño y extrema torsión. Idéntico sentido domina la composición del busto de san Pablo, en el museo de la Catedral, que culmina las opciones expresivas que Cano desarrolló en su última etapa.

El programa artístico de la capilla mayor sólo quedaría completo en sus significaciones con la serie iconográfica de la Vida de la Virgen, pintada por Alonso Cano. Constituye un ciclo del que Wethey destaca su extraordinaria integración, la forma en que demuestra una unidad de plan que no se alcanza en otros grandes ciclos barrocos, a la vez que su extraordinaria capacidad de significación en lo que se refiere a la forma y a la motivación dramática, que harán de la experiencia de Cano un hecho ejemplar en la pintura histórico-religiosa granadina de los siglos XVII y XVIII.

La solicitud del Cabildo para incorporar a Cano como racionero está determinada por el deseo de completar el ámbito tradicional de la decoración pictórica de retablos, tanto por la amplitud del espacio que era preciso cubrir como por el carácter excepcional de la arquitectura destinada a ser su soporte. La experiencia veneciana obtenida durante su permanencia en la Corte le permitía comprender y resolver tales exigencias. Los siete lienzos se pintan entre 1652 y 1664; Cano trabajó en un taller dispuesto en la torre de la Catedral. Este período va a estar marcado por el conflicto constante entre el artista y el Cabildo catedralicio, poco o nada identificado con las exigencias de reflexión y el intelectualismo de Cano. Como ha señalado Orozco, los cuadros se revelan como el fruto del pensamiento lento y profundo, pero al mismo tiempo están apresuradamente realizados. Estima que debieron realizarse en el siguiente orden: *La Encarnación* (1652), *La Visitación* (1653), *La Purificación* (1655-1656), *La Asunción e Inmaculada Concepción* (1662-1663), *La Natividad* (1663-1664), y *La Presentación* (1664). Se explica el plazo más largo en la realización de *La Purificación* por la ejecución de la Inmaculada del facistol, así como de numerosas obras para el convento del Ángel Custodio, y por el inicio de la confrontación que condujo al pleito con el Cabildo catedralicio.

El programa iconográfico se había fijado en el siglo XV, a la vez que el espacio y el lenguaje arquitectónico renacentista reclamaban una determinación que supiera armonizar el nuevo ciclo con lo preexistente, decisión sabiamente historicista e innovadora que dependía esencialmente de las elecciones formales en que la pintura se expresara. La proporción excesivamente alargada de los lienzos y su elevada situación obligan, señala Orozco, «a poner una gran fuerza y vigor plástico en el juego de las formas, luces y colores; de manera que vistos los lienzos a gran distancia la composición resultase clara y expresiva; que las figuras destacaran corpóreas sin confusión y que el color actuase no ya sólo con su propio valor pictórico sensorial, intenso y rico, sino haciendo resaltar junto con la luz los valores formales propiamente dichos». La integración en lo arquitectónico y la visión simultánea de los lienzos son dos datos esenciales a tener en cuenta como exigencias para dotar de unidad y variedad al conjunto.

El conocimiento que Cano tiene del diseño arquitectónico y una exacta conciencia ante todos los niveles iconográficos y formales, comprendida toda la decoración plástica anterior que conformaban la capilla y sus significaciones, serán los hechos determinantes en las elecciones formales del gran artista. Éste partirá de la estética de los grandes decoradores venecianos del siglo XVI, haciendo suyas soluciones y formas que habían servido en las grandes escuelas europeas del Seiscientos como soporte fundamental de la gran pintura histórico-religiosa, en un discurso que sabe aunar trascendencia religiosa con rigor y refinamiento intelectuales, lo que adquirirá funcionamientos ejemplares en el arte de sus seguidores.

Compositivamente domina la figura humana en un nivel monumental elegido sin servidumbre de entre los más importantes repertorios de la gran pintura de los

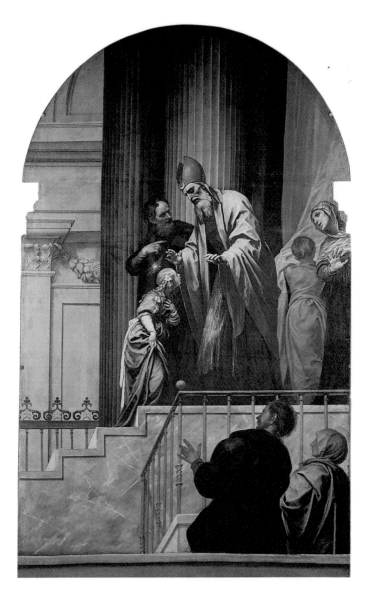

La Visitación (1653) y *la Presentación* (1664), cuadros de Alonso Cano pertenecientes al ciclo de la Vida de la Virgen en la capilla mayor.

siglos XVI y XVII. La arquitectura que aparece incorporada en las grandes composiciones resulta expresiva tanto de esa monumentalidad con que se concibe lo humano como de la asunción del marco arquitectónico con el que se relacionaría la pilastra renacentista de *La Visitación*, y sin duda en forma más interactiva el escalón revestido de *La Encarnación*, que une espacio figurado y real.

Iconográficamente constituye una reflexión particular sobre la normativa del arte religioso; desarrolla un discurso teológico que, a través del Misterio de la Encarnación, concluye las significaciones de la capilla. Las exigencias de lo mistérico y la jerarquía histórico-sacral determinan la situación de los lienzos en el ciclo. La historia terrenal de María queda incluida –como señala Orozco– entre las dos visiones mistéricas de la Concepción Inmaculada y la Asunción; y en el centro la Encarnación, advocación del templo, que además de concentrar la serie sirve de enlace entre los otros dos niveles de la capilla: el inferior –apóstoles, santos padres, reyes y una humanidad simbólica, representada por los primeros padres–, de significación histórica; y el superior –la Redención– de significación trascendente.

Los discípulos de Cano intervendrán también en la decoración barroca de la Catedral granadina. Pedro Atanasio Bocanegra, una de las más destacadas personalidades granadinas de la pintura barroca seiscentista, realizará para ella las obras que mejor caracteri-

Pedro Atanasio Bocanegra, *Cristo de la expiración* (hacia 1672).

zan su período de madurez, concretamente el *Cristo cruci-ficado*, el *San Juan* de Mata y la *Aparición de la Virgen a san Bernardo*. Orozco considera el Crucificado modelo de las opciones expresivas que dominarán la escuela granadina: «El tema de la Muerte y el de la Redención se nos presenta al descubierto, podríamos decir mediante una metáfora. Nos representa, no una realidad sino una idea, la idea absoluta llevada a la pintura: un ángel que lucha contra la Muerte y con el espíritu del Mal. Este uso de la alegoría que vemos en algunos cuadros más, debió ser robustecido por las pinturas decorativas que con tanta frecuencia realizó para las fiestas del Corpus, constituyendo una de las carac-terísticas de su arte, quizás de las más personales; como prueba de ello puede recordarse que fue precisamente la pintura de una alegoría de la Justicia lo que le valió para ser nombrado pintor del Rey».

La otra figura de la pintura del siglo XVII, Juan de Sevilla, pinta en la Catedral obras muy marcadas por la influencia de Murillo y su constante vinculación al arte flamenco del Barroco, como se demuestra en la *Flagelación del Señor*, *San Basilio dando la Regla a san Benito*, o los santos Padres de la capilla mayor que ocuparían los encasamien-tos del primer cuerpo desti-nados originalmente a enterramientos reales.

La activa política cultural del arzobispo Martín de Ascargorta (1693-1719) de-terminó una serie de inter-

Juan de Sevilla, *La flagelación del Señor* (siglo XVII).

venciones en el interior de la Catedral, a cargo de los principales decoradores del siglo XVIII, iniciadas por Francisco Hurtado Izquierdo. Estas intervenciones sirvieron de modelo a los principales programas rituales y decorativos de la centuria en la ciudad. El retablo de Santiago constituye una obra fundamental; lo preside la espléndida escultura ecuestre del Santo, obra de 1640 esculpida por Alonso de Mena para celebrar la victoria de Nordlingen, como signo inequívoco de la monumentalidad contrarreformista: «Concebida la obra en movimiento, se policroma con detallada visión de la realidad. Su riqueza de oro aparece por toda ella. El caballo todo dorado escalfado en blanco, sostiene como basamento de mármol la figura del santo, cuya armadura es un derroche de laboriosidad y detalles. Se imita con el color las labores

Retablo de Santiago (1707), de Francisco Hurtado Izquierdo.

de repujado sobre metal, adornos pequeños de tema vegetal, claros remaches, etc.» (Sánchez-Mesa Martín, 1971, II). De sus rasgos expresivos María Elena Gómez-Moreno comenta «su originalidad y atrevimiento, al representar el Apóstol como un caballero del siglo XVII». Aquí residen los intereses eminentemente políticos del proyecto monumental como mecanismo a la vez de identificación y de sublimación. Diseñado el conjunto del retablo en 1707, supo-

Escultura de Santiago (1640), de Alonso de Mena.

ne un momento clave en la evolución de la retablística en España, ya que representa el inicio de una disolución de la infraestructura arquitectónica que se hará común a partir de 1720. Hurtado incorpora en él un elemento de larga trascendencia como el estípite, en sustitución de las pilastras decoradas que había proyectado inicialmente. Este elemento de origen italiano, aparecido en la proyectiva de Miguel Ángel, y ampliamente utilizado por Borromini, se introducirá en España por obra de algunos artistas cortesanos como Crescenci, Cano o Donoso, siendo generalizado por el andaluz Hurtado Izquierdo, extendiéndose, tal vez desde sus obras, en el arte ritual latinoamericano.

A Hurtado se deben también los púlpitos, comenzados en 1713, sobre un diseño italiano, aunque probablemente modificados con libertad por él. Mármoles de colores e incrustaciones, los leones de la base y los relieves anteriores recuerdan programas conmemorativos como la tumba del cardenal Salazar en Córdoba. Tienen arriba tornavoces dorados rematados por estatuas doradas de la Esperanza y la Caridad. En 1717 estaban concluidos en lo esencial; al parecer fue el desacuerdo con el Cabildo por las transforma-

ciones introducidas en el modelo italiano la causa de que Hurtado dejara de figurar al frente de los programas catedralicios. Pero ambas intervenciones habían de crear escuela entre los decoradores granadinos del siglo XVIII.

A esta misma época corresponde la participación del pintor y escultor Risueño en los trabajos de la Catedral. Su vinculación a Ascargorta queda directamente reflejada en su retrato del arzobispo. Él fue quien determinó muy directamente su contribución a la decoración pictórica de la Catedral, ya que Ascargorta le encargó en 1692 una serie de cuadros que representan el Triunfo de la Iglesia y el Triunfo de la Eucaristía, copia de los cartones para tapices de Rubens, que figuraron en las fiestas del Corpus colgados en Bibarrambla hasta su donación a la Catedral. La iconografía y la poética rubensiana resultan muy

Púlpito (1717) de Francisco Hurtado Izquierdo.

Retrato del arzobispo Ascargorta de José Risueño.

expresivas de los intereses culturales que se imponen en el programa dieciochesco. Lo mismo ocurre con la serie de grandes fundadores monásticos que se conserva en el Palacio Arzobispal, alusión historicista de carácter legitimador, que se reproduce en los lienzos de san Cecilio y Santiago, de la capilla mayor de la Catedral, también costeados por Ascargorta, de influencia flamenca y concepción monumental que asume su participación del gran conjunto simbólico. A partir de 1710, después de renunciar al proyecto de decoración de la cúpula a cargo de Lucas Jordán y Antonio Palomino, iniciará un intenso programa de decoración pictórica al que pertenecen los dos grandes lienzos de los altares laterales del presbiterio, que representan *Los desposorios místicos de santa Catalina* y *La Coronación de santa Rosalía*, composición ésta muy influenciada por Van Dyck.

Cercano a las obras de Hurtado, el retablo de Jesús Nazareno, trazado en 1722 por Marcos Fernández Raya y ejecutado por Félix Rodríguez y José Narváez, es una colosal máquina barroca en la que figuran cuadros de El Greco, Ribera y Cano donados en 1722. El colaborador de Hurtado, Pedro Duque Cornejo, artista muy influenciado por Bernini y perfectamente identificado con los funcionamientos dramáticos del sagrario barroco de la Cartuja granadina, realizó entre 1716 y 1718 el retablo de la Virgen de la Antigua, policromado en 1726, que desarrolla un complejo plan ceremonial y ritual fijado en el contrato, de naturaleza marcadamente escenográfica en contrastes, movimiento y luminosidad. Es un espacio destinado a albergar una vieja imagen gótica de la Virgen, que la tradición señala como la que acompañó a los conquistadores. Su diseño iba destinado a sustituir el primitivo retablo labrado conjuntamente, en 1586, por Pablo de Rojas, Diego de Aranda, Diego de Navas y Pedro de Raxis, éste último como policromador. Sus esculturas originales se repartieron por distintas iglesias hasta reunirse últimamente en el museo de la Catedral. Aquí, más que en los relieves, es posible comprender su esfuerzo en la definición de la imaginería; unas figuras en las que se desarrollan nuevos tipos iconográficos,

como la Inmaculada, san Juan, Cristo crucificado, pero en las que se muestra además una nueva valoración de la imagen devocional, exenta de los condicionamientos narrativos y decorativos que imponían las normas de la retablística. Se definen nuevas opciones expresivas y formales, entre las que cabe destacar la policromía «debida principalmente a Pedro Raxis, que, como pintor, aportará a la técnica ya tradicional, unas notas que perdurarán hasta la segunda época de Cano, y que tras el paréntesis que su influencia crea, volvería a florecer en el XVIII con ímpetu y con mucha más riqueza de colorido» (Sánchez-Mesa Martín).

El trascoro de la Catedral (1737-1742), actual retablo de la capilla de las Angustias, es el último de los grandes programas ornamentales del Barroco. José de Bada se muestra en él como sólido diseñador de retablos, proyectándolo en mármol al margen de las tradiciones de la retablística. Su colocación

Retablo de Jesús Nazareno (1722), de Marcos Fernández Raya, Félix Rodríguez y José Narváez. Debajo, retablo de la Virgen de la Antigua (1716-1718), de Pedro Duque Cornejo.

Retablo de la capilla de las Angustias (1737-1742), de José de Bada.

actual en una capilla lateral no permite comprender su significación ritual, ni el sentido de su organización horizontal atenta a definir un espacio litúrgico exclusivo: el propio del cierre posterior del coro, ubicado en la nave central. Encarnación Isla escribe al respecto: «Dos razones había para ello en la mente de su autor, la primera su longitud impuesta por la razón de la anchura de la nave central catedralicia sobre la que debía instalarse. La razón de la altura obedecía a reglas de proporción muy tenidas en cuenta por el maestro cuando hace el retablo de Málaga y cuando debe dar

Capilla de la Virgen del Pilar. El retablo (1782-1785) es de Francisco de Aguado.

su opinión sobre el de Jaén. El coro debe ser un lugar reservado para el rezo de las Horas, que debería estar aislado de la parte de templo dedicada a los fieles. Hay que vigilar que la altura de los muros de separación sean proporcionados a la del edificio que mira al altar, los canónigos deben aparecer ante el pueblo como elegidos para una misión diferente, pero hombres al fin, de ahí que su posición debe ser relativa simultáneamente a Dios y a los hombres como símbolo del ministerio sacerdotal». Idéntico cálculo, como comprensión historicista del espacio preexistente y de la lógica ritual, domina los

Capilla de san Miguel (1804-1807), de Francisco Romero de Aragón.

recursos expresivos, la programación de símbolos y relieves,
y el ciclo escultórico realizado por Agustín de Vera Moreno,
discípulo de Diego de Mora.

Este proyecto en cierto modo preludia la denudación de la
decoración ritual que el reformismo ilustrado impondrá. Con
los nuevos programas políticos y el nuevo ritual se relacionan
algunos espacios como la capilla de la Virgen del Pilar, cuyo
retablo traza el arquitecto Francisco de Aguado, perteneciente
al círculo de Ventura Rodríguez, con esculturas de Juan Adán,
entre 1782 y 1785. Por su parte, la capilla de san Cecilio (1779-
1787) es también obra de Francisco Aguado, con esculturas de

Luis Miguel Verdiguier. El interesante conjunto de la capilla de San Miguel fue rea- lizado por Francisco Romero de Aragón, para enterramiento de un importante personaje de la Ilustración granadina, el refor- mador, activo fundador y prelado Juan Manuel Moscoso Peralta; utilizó abundantemente mármoles, frescos, relieves y esculturas de Juan Adán y Manuel González, en un ámbito que inaugura los usos decorativos que caracterizarán el siglo XIX.

Uno de los órganos de la Catedral de Granada (1744-1749), de Leonardo Fernández de Dávila.

El interior barroco de la Catedral se completa con las monumentales cajas de los órganos construidas entre 1744 y 1749 por Leonardo Fernández de Dávila, lo que hace obligada la referencia a la rica tradición de música ritual en la Catedral y la Capilla Real.

Sacristía y museo

La sacristía constituye un espacio de cualidades museísticas. Allí se conserva una espléndida imagen de Cristo Crucificado, antecedente del Cristo de la Clemencia de Juan Martínez Montañés; Orozco la atribuye a los hermanos García, señalando que su influencia en Granada fue menos intensa, al carecer de

Cristo crucificado de los hermanos García, en la sacristía de la Catedral.

discípulos y de taller. También alberga este íntimo espacio la Inmaculada esculpida por Cano para el facistol, verdadera obra maestra de la plástica seiscentista andaluza. Espacios igualmente interesantes son la sala capitular y el oratorio, que guarda el precioso lienzo con la Inmaculada Concepción, obra también del racionero Cano.

El museo catedralicio, sin embargo, se encuentra en la planta inferior de la torre. En él destacan otras dos creaciones de Alonso Cano, la *Virgen de Belén* y el busto de san Pablo, auténticos contrapuntos de la expresividad canesca. Excelentes

Virgen de Belén (1664) de Alonso Cano

signos del arte de los discípulos del maestro, como Pedro de Mena, o de los epígonos como Torcuato Ruiz del Peral, junto con el rico tesoro, completan el espléndido muestrario del arte y la historia dentro del conjunto catedralicio. Destaca por su importancia ritual y simbólica la custodia del Corpus Christi: es un pequeño templete hexagonal gótico donado por la reina Isabel al que después se unió un basamento renacentista.

La Iglesia del Sagrario

El Sagrario de la Catedral es la obra destinada a completar el programa de la Iglesia Mayor en sus funcionamientos institucional –como parroquia– y simbólico. Se emprende casi dos siglos después del proyecto de Siloe, en 1705, y se concluye en 1759. La iniciativa corresponde al arzobispo Ascargorta, un personaje muy activo políticamente e interesado en las artes, cuyo recuerdo se encomendó a la retórica epigrafía dedicatoria del templo, y con carácter excepcional en la tradición artística granadina a la destreza como retratista del pintor Risueño. Ascargorta solicitará en 1704 ideas y dibujos de diferentes artistas, optando por el de Francisco Hurtado, maestro mayor entonces de la Catedral de Córdoba, y recomendado por el cardenal Salazar, para el que el artista había proyectado capilla y cripta en la Iglesia Mayor de Córdoba. Las buenas relaciones de Hurtado con las instituciones eclesiásticas en las dos Andalucías van a hacer de él un personaje influyente artística y socialmente, que controla dentro y fuera de la región gran número de las mejores iniciativas de su tiempo. Los diseños aceptados para el futuro Sagrario de la Catedral fueron ejecutados rápidamente en un viaje del arquitecto a Granada, en enero de 1705; al mes siguiente será nombrado maestro mayor de la Catedral sucediendo en el cargo a José Granados. Los planes de Hurtado fueron aprobados por José de Mora, que colaboró en unión de otros artistas de ambas Andalucías en sus proyectos, como los encargados por el cardenal Salazar.

Iglesia del Sagrario (1705-1759), proyectada por Francisco Hurtado Izquierdo, en la plaza de Alonso Cano.

Que el plan tiene una significación historicista, es decir que pretende enlazar con la grandeza y el prestigio de la obra renacentista, lo prueban las estrictas instrucciones del arzobispo Ascargorta para que el nuevo Sagrario se adecue al estilo de la Catedral, con perfecta conciencia de las significaciones políticas y religiosas del conjunto, en relación al cual la nueva iniciativa no hacía sino acentuar la continuidad institucional. El lugar elegido para alzarlo, inmediato a la Iglesia Mayor, es el solar de la primitiva Mezquita

LOS ARZOBISPOS DE GRANADA. 1492 es el momento en que la Iglesia se debate entre el humanismo y la mentalidad medieval, modelos representados respectivamente por fray Hernando de Talavera, defensor de la evangelización por vías pacíficas y de la integración de la cultura morisca, y por el cardenal Cisneros, responsable del inicio de las conversiones forzosas y primeros vetos a las costumbres y usos de los moriscos. El estilo gótico isabelino de la Capilla Real es la imagen formal de esta Iglesia a medio camino entre dos mundos.

Más trascendente para la evolución estilística de estos monumentos será la llegada a la silla arzobispal de Ramiro de Alba (1526-1528), coincidente con la presencia de la Corte Imperial en Granada. El arzobispo, que había expresado su preferencia por el «estilo romano», será el responsable de la llegada de Diego de Siloe a la obra de la Catedral en sustitución de Egas. Aunque su arzobispado coincide con la presencia del Tribunal de la Inquisición en Granada, Alba muestra un talante similar al de su antecesor Talavera al llevar a buen fin el proyecto de colegio para niños moriscos y las primeras cátedras de la Universidad. No obstante, será su sucesor Gaspar de Ávalos (1528-1542) quien conseguirá la bula de Clemente VII en 1531, origen oficial de la institución universitaria, de extraordinaria importancia en el momento en que el

catolicismo desarrolla todas sus armas teóricas frente a la reforma protestante y el Islam.

Pedro Guerrero, en la silla arzobispal durante treinta años (1546-1576), será parte activa en el Concilio de Trento e introductor de la doctrina tridentina, origen de un nuevo y trascendental periodo en el desarrollo del pensamiento oficial de la Iglesia en que se definen los rasgos de la religiosidad barroca: lucha contra la herejía, claridad y radicalidad doctrinales e intensificación de los cultos eucarísticos y marianos. Granada será ya ejemplo de iglesia contrarreformista durante el arzobispado de Pedro de Castro (1589-1610): se da un fuerte empuje a la obra de la Catedral por el crucero, se ornamentan la mayoría de las iglesias granadinas y tiene lugar la fundación de la Abadía del Sacromonte, tras la declaración de autenticidad de las reliquias encontradas en el monte Valparaíso. Martín de Ascargota (1693-1719) pone fin a la obra de la Catedral, promueve la construcción de la iglesia del Sagrario, y actúa como mecenas de los artistas que escriben las últimas páginas de la historia del Barroco granadino, como José Risueño. Ascargorta representa el último momento de la Iglesia tridentina y barroca, que verá su fin efectivo en el arzobispado de Moscoso Peralta (1789-1811), representante ya del primer y tímido germen del pensamiento ilustrado en Granada.

Aljama, que fue en los momentos posteriores a la conquista Catedral provisional. Estas condiciones y la naturaleza del encargo lo convierten en un hecho excepcional dentro de la arquitectura de Hurtado Izquierdo.

El maestro cordobés abandona en el de Granada la idea del Sagrario como camarín que realizó para otros lugares y concibe un organismo de planta central de acuerdo con los tipos impuestos por la simbología eucarística tradicional desde el Renacimiento. La solución que el proyecto catedralicio del siglo XVI había previsto muestra importantes coincidencias con el dieciochesco, aunque ofrezca notables peculiaridades. Constaba éste de una serie de tres capillas cuadradas, cubiertas con cúpula, de clara simbología cristológica: la central destinada a sagrario y la inmediata a baptisterio. Fueron concebidas en alineación con la fachada de la Capilla Real, teniendo la del Sagrario como nave el crucero menor de la Catedral. En cuanto al alzado se proyectaba al nivel de las capillas laterales de ésta.

En lo esencial, el plan del siglo XVIII conserva la definición centralizada del espacio simbólico eucarístico, pero transforma las relaciones con los otros edificios que conforman el conjunto catedralicio, y particularmente con la Iglesia Mayor, que deja de funcionar como nave del Sagrario. De esta forma, se deshace así uno de los más importantes ejes rituales concebidos en el siglo XVI por Diego de Siloe: aquel que desde la calle de San Jerónimo entraba por la puerta del mismo nombre en la Catedral, atravesaba el crucero menor de ésta y concluía en un auténtico itinerario procesional de significación eucarística en el lugar donde había de construirse el Sagrario. En cuanto al alzado de Hurtado Izquierdo incluía dos órdenes de soportes; variaba así las relaciones proyectadas por Lázaro de Velasco en 1577 con respecto a la Iglesia Mayor, y abandonaba definitivamente la idea de construir un claustro anejo.

El nuevo edificio en planta quedaba conformado por una cruz griega inscrita en un cuadrado, con ábsides poligonales en los brazos, definiendo una serie de tramos jerarquizados desde el centro, el cual se cubre con media naranja, mientras que los laterales se cubren con bóvedas vaídas y de aristas. Este plan descubre la influencia de los grandes modelos italianos. Durante su ejecución y ante las dificultades que motivaron la construcción de la cúpula y el volteo de las bóvedas, el hermano Gómez, de la Compañía de Jesús, emitió en 1738 un informe en el que comparaba el conjunto con la basílica de San Pedro Vaticano; citaba también al tratadista Sebastiano Serlio (Isla Mingorance). Las descripciones de la gran basílica, del tipo que menciona el jesuita, y las demás iglesias y antigüedades romanas, constituyen auténticas series en la literatura artística y religiosa desde el siglo XVI, pues contribuyen a definir una sucesión de modelos ideales dotados de gran prestigio ideológico y aptos para provocar en las nuevas fundaciones la definición de la preeminencia institucional.

Sin embargo, el organismo arquitectónico central del Sagrario será comprendido a través de una organización del espacio contrarreformista, mediante una corrección longitudinal que hace que el altar no se sitúe bajo la cúpula, sino desplazado hacia la cabecera. Su alzado con pilares que adosan medias columnas de orden compuesto, y dóricas en las capillas abiertas en los contrafuertes de las bóvedas, constituye un modelo de proporciones y un raro ejemplar de adecuación en el uso de los órdenes para el diseño y estructuración de interiores. Sin duda se trata de una perfecta consecuencia y una atenta lectura de la metodología arquitectónica y de la flexibilidad experimentadas por Siloe en la vecina fábrica.

Las obras se iniciaron inmediatamente, pero tuvieron un desarrollo lento debido a las dificultades financieras y a las frecuentes ausencias del arquitecto para atender sus trabajos cordobeses. Apenas se habían levantado algunos pies cuando se suspendió. En 1708 se le pidió que realizara una maqueta de madera que sirviera de guía en caso de que alguien hubiera de sucederle en la dirección de las obras, lo que ocurre en 1717 cuando se nombra a un joven maestro

para continuarlas, José de
Bada, a quien corresponde
la ejecución del alzado íntegro, la decoración –incluyendo
un tabernáculo, término importante dentro del programa
simbólico del Sagrario– y el diseño del exterior. La continuidad de estilo, sin embargo, en lo esencial, viene asegura-
da por las exigencias de adaptar el nuevo edificio al proyecto de Siloe, y a la fachada de Alonso Cano y José Granados.
Para cumplir con ello era más apta la rigurosa proyectiva de
Bada y su concepción de las responsabilidades técnicas.
Bada debió afrontar numerosas dificultades derivadas del
plan de Hurtado que éste solía resolver a lo largo del proceso de ejecución.

Interior de la iglesia del Sagrario

Para ello se aplicará con criterios empíricos y preocupaciones propias de un decorador, comunes a todos los desarrollos productivos del maestro y su grupo de expertos. La consecuencia fue el disgusto del Cabildo ante la ejecución de los púlpitos de la Catedral; Hurtado Izquierdo se separó abiertamente del proyecto inicial, y del retablo de Santiago, de importantes consecuencias en la retablística granadina por la introducción de un tema decorativo de gran futuro como el estípite. Bada critica como una ligereza la práctica de esta corporación de decoradores andaluces, que se impone con el decidido apoyo de la Iglesia en los programas simbólicos y rituales de santuarios y retablos del setecientos, al formalizar las prácticas contrarreformistas a través de elecciones que connotan una trascendencia medieval: una determinada comprensión de la luz o la policromía con abundancia de dorados, la riqueza de materiales o incluso las relaciones con la orfebrería. El sucesor de Hurtado reivindica, por su parte, el rigor técnico y la eficacia del diseño histórico como base del prestigio del proyectista. Así lo comprendieron quienes iniciaban y determinaban el programa del Sagrario y los numerosos valedores de Bada en la región, pues lo que éste intentó fue poner en acto el prestigio, por otra parte nunca obviado, de la tradición arquitectónica regional.

En el diseño exterior la respetuosa actitud hacia la tradición de los siglos XVI y XVII resulta harto evidente. La fachada se proyecta siguiendo elecciones que están decididamente en la estela de Cano. Como en el proyecto de Alonso Cano para la Catedral, de 1664, las divisiones verticales son alargadas y están muy marcadas con inesperados estratos de plano, quedando también referidas a los desarrollos del espacio interior, que pudieron ser definidas por Hurtado en su modelo de madera. Presenta esta fachada incluso un rasgo un tanto arcaico al utilizar las torrecillas con escaleras en las esquinas, igual que en la iglesia sevillana del Salvador, detalle de ascendencia plateresca. El mismo rigor se aprecia en el desarrollo de la cornisa, que reduce su decoración a una serie de rosetones avenerados que se repiten en las ménsulas que apean el alero, elementos de origen *cinquecentista*. Sólo el balcón de la derecha muestra rasgos propios de la decoración dieciochesca.

En cuanto a la portada que en 1729 realizó José de Bada constituye un diseño extremadamente riguroso. Se compone de dos cuerpos con arco de medio punto sobre pilastras con

un par de columnas corintias a cada lado, con decoración geométrica rehundida

Portada de la iglesia del Sagrario (1729), realizada por José de Bada.

entre los intercolumnios; sobre un entablamento liso, el segundo cuerpo con triple hornacina tiene esculturas de san Pedro sedente de pontifical, san Juan Nepomuceno y san Ibón, obras del colaborador de Bada, Agustín de Vera Moreno; a ambos lados se repiten las columnas pareadas con frontones triangulares y uno curvo en el centro.

Portada de Luis de Arévalo del desaparecido Colegio de San Fernando (siglo
XVIII) en la calle Oficios.

La calle Oficios y la Alcaicería

Accediendo por la Gran Vía, la calle Oficios recorre el flanco derecho del conjunto monumental catedralicio hasta desembocar en la Alcaicería y la plaza de Alonso Cano. Comienza con una reja neogótica que se instaló en 1943, trasladada desde la placeta de la Lonja, donde se había colocado en 1915. La apertura de la Gran Vía afectó particularmente al primer tramo de la calle, cuya anchura se amplió sensiblemente tras la desaparición del Colegio de San Fernando, que había sido fundado en 1758 con el objetivo de que sus alumnos ayudaran a las actividades de culto de la Capilla Real. La idea fundacional está presente en el organigrama que Carlos V quiso aplicar a la Capilla Real, pero el proyecto no prosperó por falta de medios; su vida fue corta ya que dejó de funcionar con la desamortización. En la actualidad sólo queda de él la portada del siglo XVIII, obra de Luis de Arévalo, que se reinstaló dando acceso desde la calle Oficios a la sacristía y otras dependencias de la Capilla Real reestructuradas entre 1918 y 1929.

La Madraza

Tras la conquista cristiana, la antigua Madraza Yusufiyya fue muy transformada y dotada de nueva simbología, al convertirse en Casa de Cabildos. Los programas de construcción mudéjar de carácter civil presentan la particularidad, a diferencia de lo que ocurre en la provincia, de no definir fachada externa, por lo que la presencia institucional se reduce al

113

espacio celebrativo; es el caso de este edificio y su Sala de Caballeros Veinticuatro. La Madraza Yusufiyya, como centro de enseñanza superior fundado por el sultán Yusuf I en 1349, fue la primera institución de este género erigida en la Granada nazarí de mediados del siglo XIV. El edificio seguía el modelo de las madrazas magrebíes, de dimensiones más reducidas que las de otras regiones del Islam, desarrollado en torno a un patio central con oratorio, galerías y un vestíbulo de entrada en planta baja, mientras que la galería circundante del patio en el primer piso conducía a los aposentos de los estudiantes. El último día del mes de enero de 1500, los Reyes Católicos cedieron el edificio al Cabildo de la ciudad, que tuvo allí su sede hasta 1858, en que se trasladó definitivamente al antiguo convento de Nuestra Señora de la Cabeza, de carmelitas calzados. Las obras de acondicionamiento del siglo XVI y las acometidas en la década de 1720 acabaron con la práctica totalidad del edificio nazarí, del que tan sólo se mantuvo el oratorio, adornado con yeserías y cubierta con techumbre de madera muy restaurado a finales del siglo XIX (Cabanelas Rodríguez). De la primera transformación de época cristiana data la Sala de Caballeros Veinticuatro, cubierta con una armadura rectangular ochavada con perfil de limas moamares. Los pares aparecen apeinazados en los arranques con lazo de ocho y se cruzan hacia la mitad, mientras que el almizate va completamente apeinazado con lazo estructurado en torno a tres estrellas de ocho puntas; también aparecen dos tirantes pareados sobre canes polilobulados y labor de lazo. Todo se encuentra decorado con pinturas que fueron realizadas por el pintor Francisco Fernández en el año 1513. Los pares, nudillos y limas llevan perfiles pintados con ocre y blanco en el centro; la tablazón tiene un complejo programa de grutescos, muy del gusto plateresco, dominado por tonos azules, blancos y rojos. En las calles de los faldones aparecen cabezas humanas pintadas de ambos sexos, y en el harneruelo y en el lazo de los faldones encontramos algunas partes de la tablazón al mismo nivel que los elementos constructivos, decorando el interior de las estrellas con rosetas; por su parte, las pechinas

tienen lazo de ocho pintado. El alicer se resuelve, alternativamente, con decoración

Armadura de la Sala de Caballeros Veinticuatro (siglo XVI)

de águilas flanqueadas por cuernos de la abundancia y vasijas enmarcadas por formas animales. En el espacio que queda entre los canes tenemos bustos pintados que podrían referirse a los Reyes Católicos. El friso que corre bajo el alicer presenta la siguiente inscripción: «Los muy altos, magníficos y muy poderosos señores don Fernando y doña Isabel rey y reyna nuestros señores, ganaron esta nobilísima y gran ciudad de Granada y su Reyno por fuerza de armas, en dos días del mes de henero, año del nacimiento de nuestro Señor Iesuchristo de mil quatrocientos y noventa y dos». Y, por último, un repertorio de *putti* en grupos de tres –uno alado duerme, otro intenta asustarlo con una máscara y un tercero lo despierta– cierra el conjunto.

Entre 1722 y 1729 se acometió la remodelación del edificio a cargo de José de Bada, quien diseñaría su exterior como una fachada de dos cuerpos decorada con pinturas al temple, cuya portada principal presenta cornisa rota y ondulada, y cartela dedicatoria. Sobre este marco se desarrolla todo un repertorio que sintetiza los usos monumentales desde Cano: balcones con estípites de gran saliente y cornisas rotas con golpes de follaje menudo; en los entrepaños, grandes escudos que permiten exhibir profusión de hojarasca, guirnaldas, angelotes y dobles placas recortadas; en el chaflán, el escudo de los Reyes Católicos enmarcado con abundante decoración. El uso de estuco y la policromía que finge mármoles de colores evidencian la influencia de los grandes programas rituales –el *Sancta Sanctorum* de la Cartuja– sobre los exteriores monumentales.

Fachada de la Madraza (1729), de José de Bada.

Tras la plaza en la que se encuentran las fachadas de la Lonja y de la Capilla Real (llamada en el pasado del Cabildo y del Besayón), la calle Oficios vuelve a estrecharse en el tramo que acoge el Centro José Guerrero y numerosos comercios turísticos.

El Centro José Guerrero

El Centro José Guerrero de la Diputación de Granada fue inaugurado en junio del año 2000; se trata de uno de los espacios más importantes dedicados al arte contemporáneo en la ciudad. Ocupa el edificio del antiguo diario *Patria*, remodelado por el arquitecto Antonio Jiménez Torrecillas con la supervisión de Gustavo Torner. El edificio aúna el respeto al espacio histórico que lo rodea con las exigencias museológicas y las formas de la arquitectura contemporánea. Está destinado a albergar una colección permanente de obras del pintor granadino que le da nombre y exposiciones temporales de otros importantes artistas.

Desde la figuración que domina su periodo formativo en España, Francia e Italia, José Guerrero evolucionó hacia el expresionismo abstracto en la década de 1950, tras

Centro José Guerrero

su contacto con los pintores de la Escuela de Nueva York (De Kooning, Pollock o Motherwell entre otros), ciudad en la que se instaló en 1949 y desde la que su pintura alcanzó el reconocimiento de la mejor crítica americana y europea. *La brecha de Víznar* (homenaje a Federico García Lorca), las variaciones simbólicas y cromáticas sobre cerillas en la estela del *pop art* y la pintura de su madurez, basada en grandes áreas cromáticas, convirtieron a Guerrero en un reconocido maestro de la pintura joven española de finales del siglo XX.

La Alcaicería

La Alcaicería fue en la ciudad musulmana el mercado dedicado a productos de lujo y especialmente a la seda, mientras que los productos de primera necesidad se vendían en el zoco. La Alcaicería de Granada destaca entre las más célebres del Islam Occidental por su extraordinaria actividad comercial y la calidad de sus telas «acaso mejores que las de Italia», según Andrea Navagiero.

Compuesta por unas doscientas tiendas y un total de diez puertas, funcionaba como un organismo autónomo que quedaba cerrado y vigilado durante la noche. Vinculadas al mercado aparecen los *fondaqs* o alhóndigas para alojamiento de mercaderes y almacenamiento de productos. En época cristiana seguirá funcionando como mercado de sedas hasta el siglo XVII, en que comienzan a introducirse otros oficios. Su importancia en el desarrollo económico de la ciudad se muestra en la preocupación de las autoridades locales por controlarla, para lo que le concedieron desde 1491 importantes privilegios, un alcaide y una jurisdicción propios.

Un incendio la destruyó casi en su totalidad en 1843. En su reconstrucción en clave historicista se rectificó su trazado urbano original y se perdió el carácter comercial de la zona hasta su recuperación por parte del Ayuntamiento en 1943 para exposición de productos artístico-industriales.

El entorno de la Catedral

El Colegio Imperial (Curia Eclesiástica)

De los interiores con que se puede relacionar a Siloe, la única intervención conocida es la de 1534 en el Colegio Imperial o Universidad –hoy Curia Eclesiástica–, cuya organización estuvo a cargo del arzobispo Gaspar de Ávalos, y en funcionamiento dos años antes. Gómez-Moreno publicó la carta que Ávalos dirigió desde Almería al marqués de Mondéjar pidiéndole que acudiera a la obra de tal Colegio, porque le habían dicho «que, siguiendo la traza del asiento de los mármoles del patio y corredores, quedará muy desgraciado todo el edificio»; al tiempo que proponía al marqués remediarlo «mandando venir ay a Siloe, porque pongan luego mano en lo que le pareçiere».

Este edificio completaba un núcleo urbanístico de significaciones político-religiosas eminentes, constituyendo su fundación en 1526 una importante decisión institucional, de derecho público, provocada por las exigencias de formación de los eclesiásticos y la burocracia regia y por la urgencia de integrar políticamente a la colectividad morisca, como se expresa en la Bula Fundacional de Clemente VII y en la epigrafía latina de la fachada. Así, los específicos desarrollos culturales moriscos son liquidados por la imposición de una práctica dominada por el horizonte ideológico escolástico. En adelante los ambiguos funcionamientos de esta institución, fundación pública controlada por el poder eclesiástico, provocarán un contencioso entre el episcopado y los seglares –acentuado por la jerarquía contrarreformista durante el pontificado de Pedro de

Castro–, que se extenderá hasta la reforma del siglo XVIII, en que también se cambiará su emplazamiento, en 1769, tras la expulsión de los jesuitas, al edificio del colegio de San Pablo de la Compañía.

El edificio se mantiene, aunque en su actual destino haya desaparecido la heráldica imperial de la fachada, cuya portada es obra de Juan de Marquina de 1530. La decoración plateresca de las ventanas fue diseñada por Sebastián de Alcántara en 1543, a quien se deben también las bóvedas rampantes artesonadas de la escalera y aun el patio –según Gómez–Moreno–, que a sus dos cuerpos con arquerías sobre columnas toscanas muy delgadas –que albergaban respectivamente las aulas de la Universidad y el Colegio Imperial de la Santa Cruz de la Fe–, añade un tercer cuerpo de poca altura con doble número de arquillos rebajados, sobre columnas, y una cornisa con gárgolas en forma de leones alados similares a los que proyectó Siloe en lo alto de la Casa de los Miradores. Sin embargo como señala el mismo autor, atendiendo a su molduraje y proporciones, no parece ser obra de Siloe, que actuaría fundamentalmente como consultor.

Al igual que otras fábricas de importancia realizadas para instituciones, la arquitectura educativa sólo utilizó la carpintería mudéjar con un deseo preciso de ahorro. Así, en el edificio de la antigua Universidad encontramos un importante grupo de alfarjes que revelan la maestría de los carpinteros que intervinieron en su elaboración. El primitivo paraninfo, frontero a la puerta de entrada, conserva uno de los ejemplos más significativos del conjunto, labrado entre 1538 y 1539. La cabecera tiene un artesonado renacentista, pero el resto de la estancia se cubre con un alfarje y sirve de transición entre ambos elementos una calle con esquemas mudéjares y motivos decorativos renacentistas. De este esquema varían el correspondiente a la biblioteca, en la segunda planta, y los pisos superiores desaparecidos en el incendio acaecido el 31 de diciembre de 1982. Todos estos trabajos de carpintería se hicieron a partir de 1537. Los alfarjes fueron trabajados, según

Gómez-Moreno, por Juan Fernández, hermano del maestro Rodrigo Hernández.

El segundo tramo de la escalera se cubre con una armadura rectangular con perfil de limas moamares. Tanto los faldones como el almizate están apeinazados en su totalidad con lazo de diez. Gómez-Moreno la atribuye al maestro Miguel que debió de realizarla en 1530. No obstante, la armadura existente en la actualidad no es, sin duda, la de este carpintero, ya que su concepción del lazo difiere totalmente de la maestría de los alarifes del siglo XVI.

Fachada del Colegio Imperial. La portada es de Juan de Marquina (1530).

Las estrellas, ante la imposibilidad de su realización, aparecen pintadas en perspectiva para dar sensación de profundidad. La obra original debió de arruinarse; la existente puede datarse como del siglo XVIII.

La Casa de los Miradores

Desgraciadamente desapareció, tras el incendio de 1879, la Casa de los Miradores, un proyecto monumental de exterior trazado por Siloe en 1560. Constituía la fachada ceremonial del edificio erigido por el Cabildo de la ciudad para presenciar los festejos que tenían lugar en la plaza de Bibarrambla, un importante espacio público rodeado por soportales y con una fuente en el centro, escenario de celebraciones litúrgicas y profanas. El diseño se ejecutó por el cantero Juan de Asteasu, discípulo suyo, y en 1566 la reconoció, aún sin terminar, Juan de Maeda. Constaba de tres cuerpos con cinco arcos cada uno: el inferior con pilares lisos y los dos laterales con medias columnas jónicas y corintias, sobre pedestales todas y soportando entablamentos, todo realizado en mármol de Sierra Elvira. El proyecto era, pues, un riguroso diseño clasicista, del que Siloe se vanagloria en estos términos: «Yten por quanto esta arte de arquitectura no se puede declarar por palabras, syn que yntervenga en ello la medida del compás (...), a de tener entendido el maestro que de esta obra se encargare que, allende de la traça e condiciones que se le dará, a de quedar obligado a que los moldes de basas e capiteles e molduras (...) los labre por el debuxo que en mayor cantidad le fuere traçado e repartido por la persona que los señores Granada señalaren para ello, porque su determinación es que este edificio no carezca de las medidas que los famosos arquitectos romanos e griegos constituyeron (...) a de azer ventaja a todo lo que asta agora se a labrado en otras cosas que la dicha çiudad a mandado e dado a labrar, porque en este edeficio no se a de disymular cosa alguna que carezca de arte ni de otra fealdad alguna».

El texto citado expresa las rigurosas exigencias bajo las que se concibe la proyectiva pública, y una metodología que definiría la arquitectura ceremonial sobre el prestigio del solo uso de los órdenes arquitectónicos. No llegó a ejecutarse un ático, con arquillos sobre pilares cuadrados, que tendría en las esquinas unos macizos donde se esculpirían las armas y divisas de la ciudad. El esquema vitrubiano de arcos entre columnas lo había utilizado ya Diego de Siloe en otros interiores, como el patio del Colegio de los Irlandeses en Salamanca.

El Colegio de Niñas Nobles

La calle Cárcel Baja, paralela a la calle Oficios, fue una zona de asentamiento de cierto nivel social durante la Edad Moderna, lo que la convirtió en un espacio de extraordinaria importancia monumental, si bien hoy no muestra una imagen fidedigna de lo que fue durante el siglo XVI.

Como principal testimonio permanece el Colegio de Niñas Nobles, situado frente al pie de la torre de la Catedral. En su origen, fue la casa solariega de García de Ávila y debió de ser construida hacia 1530. Sabemos que en 1639 su propietario era don García Ponce de León; ese año se estableció allí el Colegio de Niñas Nobles, fundado por doña Ana de Mendoza en el Hospital de la Caridad para atender la enseñanza de las niñas linajudas. En la actualidad, muy reformado en su interior, es sede de la Escuela Euroárabe de Negocios.

Su interior responde al prototipo de palacio renacentista, con zaguán de entrada y escalera para salvar el desnivel con el patio y galerías a los cuatro lados. Tanto en las galerías como en el zaguán destacan los alfarjes. Contiene un interesante repertorio de artesonados mudéjares en las cubiertas, algunos del siglo XVI y otros reconstruidos en clave historicista. Los más importantes corresponden a la sala noble, sobre el zaguán, y a la antigua escalera.

124

Portada del Colegio de Niñas Nobles
(hacia 1530), de Juan de Marquina.

La fachada tiene dos alturas, excepto las dos torres que la enmarcan que llegan a cuatro. Lo más interesante del edificio es su portada, obra de Juan de Marquina, considerada como una de las mejores obras del plateresco; el decorador despliega su dominio de los avances de este estilo en Castilla, procedentes de Italia. Mientras el primer piso muestra un sencillo almohadillado con un particular dintel, en el segundo piso la decoración resume el repertorio decorativo plateresco con balaustradas, grutescos, decoración *a candelieri* y jarrones florales. Según Chueca Goitia esta es la obra decorativa más importante de su autor; en su opinión «la primorosa ventanita podría considerarse sin exageración como lo mejor de todo el plateresco».

En adelante, la calle Cárcel Baja está dominada en una de sus aceras por las puertas monumentales de la Catedral (puertas del Perdón y de San Jerónimo), mientras en la otra contrasta la frialdad de alguna edificación reciente. La calle se abre en la placeta y pasaje de Diego Siloe que, desde su apertura en la década de 1980, permite una visión casi completa de la cabecera de la Catedral, en la que se pueden constatar sus raíces góticas.

Las obras de la Gran Vía en 1901 afectarían particularmente al conjunto monumental provocando la desaparición del palacio nazarí de Cetti-Meriem. Los datos que hoy conservamos de este edificio se deben a la labor de la Comisión Provincial de Monumentos, que levantó diversos planos del edificio antes de su destrucción. Respondía a la tipología de palacio de época nazarí, centrado en torno a un patio con alberca rodeado por galerías, convertido en su exterior en un palacio renacentista durante el siglo XVI. Otro de los edificios desaparecidos en 1901 es la Alhóndiga de los Genoveses, una construcción probablemente de época nazarí en relación funcional con los mercados cercanos, cuyo aspecto debemos imaginar similar al del Corral del Carbón. Dio su nombre a la calle al ser utilizada como cárcel de la ciudad por los Reyes Católicos.

Apéndices

Bibliografía

ALBERTI, Leon Battista.
De re aedificatoria. Florencia, 1485.

ANGULO ÍÑIGUEZ, Diego.
«Miniaturistas y pintores granadinos del Renacimiento». *Boletín de la Real Academia de la Historia*, 1945.

ANTONIO ENRIQUE.
La armónica montaña. Madrid, Akal, 1986.

BAYÓN, Damián.
Mecenazgo y arquitectura en el dominio castellano (1475-1621). Diputación de Granada, 1991.

BERMÚDEZ DE PEDRAZA, Francisco.
Antigüedad y excelencias de Granada. Madrid, 1608.

—*Historia Eclesiástica. Principios y progresos de la ciudad y religión católica de Granada, corona de su poderoso reino y excelencias de su corona*. Granada, 1638.

CABANELAS RODRÍGUEZ, Darío.
«La Madraza árabe de Granada y su suerte en época cristiana». *Cuadernos de la Alhambra*, 1988 (24: 29-54).

CHUECA GOITIA, Fernando.
Arquitectura del siglo XVI. «Ars Hispaniae». Vol. XI. Madrid, Plus Ultra, 1953.

—*Aragón y la cultura mudéjar*. Zaragoza, Institución Fernando el Católico, 1970.

CORTÉS PEÑA, Antonio Luis y Bernard VINCENT.
Historia de Granada: la época moderna. Granada, Don Quijote, 1986.

DÍAZ DEL VALLE, L.
«Epílogo y nomenclatura de algunos artífices 1656-1659», en F. J. Sánchez Cantón. *Fuentes literarias para la historia del arte español*. Madrid, 1933 (vol. 3: 329-393).

FÉLEZ LUBELZA, Concepción.
«La huella de Alonso Cano en varias portadas granadinas», en *Centenario de Alonso Cano en Granada*. Granada, 1971 (203-209).

GALLEGO BURÍN, Antonio.
Granada. Guía artística e histórica de la ciudad. Granada, Comares, 1987.

—*La Capilla Real de Granada*. Granada, Comares, 1992.

GÓMEZ-MORENO CALERA, José Manuel.
El arquitecto granadino Ambrosio de Vico. Universidad de Granada, 1992.

GÓMEZ-MORENO GONZÁLEZ, Manuel.
Guía de Granada. Granada, 1892.

GÓMEZ-MORENO MARTÍNEZ, Manuel.
«Alonso Cano, escultor». *Archivo Español de Arte y Arqueología* (1926: 177-214).

GÓMEZ-MORENO RODRÍGUEZ-
BOLÍVAR, María Elena.
Escultura del siglo XVII. Madrid,
Espasa Calpe, 1963.

GUILLÉN MARCOS, Esperanza.
*De la Ilustración al Historicismo:
arquitectura religiosa en el Arzobispado
de Granada*. Diputación de
Granada, 1990.

HENRÍQUEZ DE JORQUERA,
Francisco.
*Anales de Granada. Descripción del
reino y ciudad de Granada*. Granada,
1646.

ISLA MINGORANCE, Encarnación.
*José de Bada y Navajas. Arquitecto
barroco (1691-1755)*. Diputación de
Granada, 1977.

JUSTI, C.
Aus der Capilla Real zu Granada.
Düsseldorf, 1890.

LÓPEZ, M.A.
Los arzobispos de Granada.
Arzobispado de Granada, 1993.

LÓPEZ GUZMÁN, Rafael.
*Tradición y clasicismo en la Granada
del siglo XVI. Arquitectura civil y
urbanismo*. Universidad-Diputación
de Granada, 1987.

MALPICA CUELLO, Antonio *et alii*.
Historia de Granada. Granada,
Proyecto Sur, 1996.

NIETO ALCAIDE, Víctor.
Las vidrieras de la Catedral de Granada.
Universidad de Granada, 1973.

OROZCO DÍAZ, Emilio.
Pedro Atanasio Bocanegra.
Universidad de Granada, 1937.

—*La Capilla Real de Granada*.
Granada, Albaicín, 1967.

—«Los grandes lienzos de Cano en
la Catedral de Granada» en
*Centenario de Alonso Cano en
Granada*. Granada, 1971.

PACHECO, Francisco.
Arte de la pintura. Madrid, Cátedra,
1990.

PITA ANDRADE, José Manuel.
*La Capilla Real y la Catedral de
Granada*. León, Everest, 1978.

ROSENTHAL, Earl E.
*La Catedral de Granada. Un estudio
sobre el Renacimiento español*.
Granada, Universidad, 1990.

SAGREDO, Diego de.
Las medidas del romano. Toledo,
1526.

SÁNCHEZ-MESA MARTÍN,
Domingo.
*Técnica de la escultura policromada
granadina*. Universidad de Granada,
1971.

—«La policromía en la escultura de
Cano», en *Centenario de Alonso Cano
en Granada*, Granada, 1971.

—*José Risueño, escultor y pintor granadino (1665-1732)*. Universidad de
Granada, 1972.

SHOUTE, Roger van.
Les primitifs flamands. Bruselas, 1963.

TAYLOR, René.
«Estudios del Barroco andaluz», en
Cuadernos de Cultura, 1958.

VIÑES MILLET, Cristina.
Historia urbana de Granada. Granada,
CEMCI, 1987.

WETHEY, H.E.
*Alonso Cano. Pintor, escultor y arqui-
tecto*. Madrid, Alianza, 1983.

Diccionario onomástico

Adán, Juan (1741-1816). Escultor neoclásico zaragozano, formado en Roma, donde fue becado en 1767. Académico de mérito de las Academias de San Fernando y San Luca de Roma y primer escultor de cámara de Fernando VII. Trabajó en las catedrales de Lérida, Jaén y Granada (capilla del Pilar).

Aguado, Francisco de (1748-1816). Arquitecto neoclásico navarro, formado en Madrid con Ventura Rodríguez. En Granada llevó a cabo obras en Alomartes, Cájar, Montefrío y Salar, y diseñó el altar del Pilar de la Catedral.

Alcántara, Sebastián (act. 1535-1543). Arquitecto de la escuela de Diego de Siloe, fue uno de los responsables del desarrollo del plateresco en las portadas granadinas (Casa de Castril, Santa Ana, San Matías).

Aguirre, Melchor de (act. segunda mitad siglo XVII). Arquitecto, sustituto de Granados de la Barrera como maestro mayor de la Catedral en 1684.

Aranda, hermanos. Escultores activos durante la primera mitad del siglo XVI, destacados colaboradores de Diego de Siloe en sus obras granadinas, se les llegó a atribuir el segundo cuerpo de la Puerta del Perdón de la Catedral.

Bada, José de (1691-1755). Arquitecto tardobarroco de origen cordobés, activo en Andalucía Occidental durante la primera mitad del siglo XVIII, entre cuyas obras más importantes se encuentran la fachada de la Catedral de Málaga (según el modelo de Granada), el trascoro de la Catedral de Granada, la iglesia de San Juan de Dios y el tabernáculo de la iglesia del Sagrario.

Bermejo, Bartolomé (act. 1468-1500). Pintor representante del estilo gótico hispanoflamenco, caracterizado por el dominio de la incipiente técnica del óleo. Formado en Flandes, trabajó en Valencia, Aragón y Cataluña.

Berruguete, Alonso (h.1486-1561). Pintor y escultor, tras de su contacto con Miguel Ángel introdujo las formas del manierismo italiano en su obra. En 1518 Carlos V lo nombró pintor del rey; en ese mismo año comenzó su etapa de creación escultórica que dejó una impronta imborrable en el arte español, con obras como el retablo de la iglesia de San Benito en Valladolid o la sillería del coro de la Catedral de Toledo.

Berruguete, Pedro (1450-1504). Fue uno de los introductores de las formas del Renacimiento en la pintura española. Viajó por Flandes e Italia, y trabajó en la corte de Urbino en contacto con Piero della Francesca. A su regreso a Castilla en 1482 realizó obras como los frescos del claustro de la Catedral de Toledo o el retablo de la Catedral de Ávila.

Bigarny, Felipe (1470-1542). Escultor nacido en Borgoña (Francia) y activo en España. A medio camino entre el gótico y el Renacimiento, tiende al naturalismo y al uso de modelos clásicos en el tratamiento de la figura humana. Entre sus obras granadinas destaca el retablo de la Capilla Real y las primeras figuras orantes de los Reyes Católicos.

Bocanegra, Pedro Atanasio (1638-1689). Pintor barroco granadino, de estilo a medio camino entre Alonso Cano y Valdés Leal, pasó de pintor del Cabildo de la Catedral de Granada a pintor de la corte de Carlos II en Madrid.

Bosco (Hieronymus Bosch, 1450-1516). Pintor flamenco que pasa de un cierto costumbrismo crítico en sus primeras obras a una pintura visionaria que lo coloca en la prehistoria del surrealismo. En su obra se ha querido ver tanto una pintura moralizante de incitación a la práctica de la virtud desde un punto de vista religioso como una supuesta relación con sociedades alquimistas o sectas de santificación de la licencia sexual. Destaca entre sus obras *El jardín de las delicias* del Museo del Prado.

Botticelli, Alessandro (1444-1510). Pintor florentino, uno de los más representativos del *Quattrocento* italiano y superador de la tradición gótica a través del estudio del arte antiguo y la naturaleza. Muestra un gusto por la belleza sensual siempre enmarcada por la línea incisiva de un preciso dibujo tanto en obras religiosas (*Oración de los Olivos* en el Museo

de la Capilla Real) como profanas (*Nacimiento de Venus, La Primavera, Venus y Marte*).

Bouts, Dierick (1415-1475). Pintor flamenco, discípulo de Roger van der Weyden, se apartó pronto del estilo expresivo del maestro y creó un estilo basado en la sobriedad y profundidad que dota a sus figuras de una característica dignidad interior.

Campo, Juan del. Maestro vidriero activo durante las décadas centrales del siglo XVI, fue el primer encargado de las vidrieras de la Catedral. Sus obras destacan por la fusión de elementos medievales españoles con innovaciones italianas, y tienden en general al tratamiento monumental de las figuras.

Cano, Alonso (1601-1667). Arquitecto, escultor y pintor granadino, fue aprendiz en el taller de Pacheco y ayudante de Martínez Montañés. Se alejó pronto del naturalismo del Barroco español buscando un personal estilo idealizante basado en el equilibrio compositivo y la belleza formal. Sin duda fue la personalidad más importante de la Granada barroca y dejó su impronta en la fachada de la Catedral, así como en esculturas vinculadas a ésta como la Inmaculada del facistol o la Virgen de Belén.

Castillo, Francisco del (1528-1568). Arquitecto renacentista, trabajó principalmente en Jaén. En Roma tuvo ocasión de colaborar con Miguel Ángel y Ammannati, Vasari y Vignola. Introdujo así gran parte del lenguaje arquitectónico del manierismo italiano en Andalucía; la portada de San Ildefonso de Jaén y su participación en la Chancillería de Granada así lo muestran.

Cendoya, Modesto (1856-1938). Arquitecto conservador de la Alhambra, fue el responsable desde 1907 de gran parte de la labor de consolidación y restauración del recinto. Sus polémicas restauraciones y la tala de árboles cercanos, acciones muy criticadas por la línea conservacionista, le costaron la destitución de su cargo en 1923.

Díaz de Ribero, Francisco (1592-1670). Arquitecto, retablista y estuquista barroco, introductor en Andalucía del uso sistemático del ladrillo, como muestran sus aportaciones a la sacristía de Santos Justo y Pastor o la nave de la Cartuja granadina.

Duque Cornejo, Pedro (1678-1757). Escultor y retablista barroco, en sus obras granadinas para la iglesia de las Angustias y la capilla de la Antigua de la Catedral introdujo un estilo muy dinámico, de policromía brillante y decoración exuberante cercana al gusto rococó.

Egas, Enrique (act. 1495-1534). Arquitecto representante de la última fase de la tradición gótica castellana, fue el maestro mayor de las catedrales de Toledo y Plasencia. La reina Isabel lo escogió para las más importantes construcciones granadinas en estilo tardogótico: el Hospital Real, la Lonja y la Catedral, cuyo proyecto se verá profundamente alterado a la llegada de Diego de Siloe a la ciudad.

Fancelli, Domenico (1449-1519). Fue el primer escultor renacentista italiano que residió en España gracias a su relación con la familia Mendoza, particularmente con el conde de Tendilla, del que consiguió el encargo para el sepulcro de los Reyes Católicos en la Capilla Real. Su producción de escultura funeraria creará una tipología de gran éxito en España durante el Renacimiento y el Barroco.

Fernández, Jorge (act. 1505-1526). Escultor, hermano del pintor Alejo Fernández. En su escultura hay un puente entre el idealismo del gótico y un incipiente naturalismo, como muestra el retablo principal de la Catedral de Sevilla. Se le llegó a atribuir la autoría de una de las portadas de la Capilla Real.

Florentino, Jacopo (Jacopo Torni «el Indaco», 1476-1526). Escultor, arquitecto y pintor florentino, contemporáneo de Miguel Ángel, llegó a Granada con Pedro Machuca para trabajar en la Capilla Real y San Jerónimo. Su obra cambiará definitivamente el curso estilístico de la escultura y la arquitectura andaluzas del primer Renacimiento.

Fonseca, Antonio de (act. primera mitad del XVI). Contador mayor y testamentario de la reina Isabel, fue el propulsor, junto a Carlos V, del enriquecimiento artístico de la Capilla Real.

García, hermanos. Escultores barrocos activos en torno a 1600, especializados en la figura del *Ecce Homo* en terracota policromada de corte naturalista. Destacan en Granada el *Ecce Homo* de la Cartuja y el Cristo del convento de las Capuchinas.

García de Pradas, Juan (act. 1493-1527). Fue el maestro de cantería responsable de la mayor parte de las obras del último gótico en Granada (el Hospital Real, la Lonja, la portada de la Capilla Real), en colaboración con el arquitecto Enrique Egas.

Gaviria, Bernabé de (act. hacia 1600). Escultor barroco discípulo de Pablo de Rojas, es el autor, en colaboración con Diego de Aranda y Alonso de Mena, del apostolado de la capilla mayor de la Catedral granadina.

Gil de Hontañón, Rodrigo (1500-1577). Arquitecto, hijo del también arquitecto Juan Gil de Hontañón, desarrolló una importante actividad en Castilla en estilo tardogótico y plateresco en las catedrales de Salamanca, Segovia y Plasencia. Su obra tardía se fue puliendo y, prescindiendo de la ornamentación, pasó a un incipiente clasicismo, como muestran la iglesia de Santiago en Medina de Rioseco o la iglesia del convento de San Benito en Valladolid.

Granados de la Barrera, José. (? –1684). Arquitecto y maestro mayor de la Catedral desde 1666 en sustitución de Cano, fue el encargado de llevar a cabo el proyecto monumental de éste para la fachada principal.

Guerrero, José (1914-1991). Pintor granadino formado entre Granada, Madrid, París y Roma, entró pronto en contacto con las corrientes del informalismo pictórico. En Nueva York conoció el expresionismo abstracto y formó parte de la llamada Escuela de Nueva York, adherido a la tendencia del *Colour Field Painting*. Su obra está presente en las más importantes colecciones públicas y privadas de arte contemporáneo, así como en el centro que lleva su nombre en Granada.

Hernández, Francisco (act. primera mitad del XVI). Carpintero representante del estilo mudéjar, es el responsable del suelo de armadura y las techumbres de artesones y alfarje de lazo mudéjar de la Lonja granadina.

Holanda, Teodoro de (1480-h. 1565). Maestro vidriero de origen holandés, fue el encargado de las vidrieras de la Catedral a partir de 1554 junto con Juan del Campo, respecto al que muestra evidentes diferencias estilísticas en su evolución hacia las innovaciones formales del manierismo.

Hurtado Izquierdo, Francisco (1669-1725). Arquitecto tardobarroco, fue el más importante de la Granada del primer tercio del siglo XVIII y maestro de José de Bada. Proveniente de Córdoba, fue nombrado maestro mayor de la iglesia del Sagrario y realizó además el tabernáculo del sagrario de la Cartuja, una de las joyas del Barroco andaluz.

Jaén, Bartolomé (act. desde 1513). Maestro rejero, concebía las rejas no como un mero cierre o adorno sino como un objeto más de devoción a modo de retablo, con complicados programas iconográficos. Es el autor de las rejas de las catedrales de Jaén y Baeza y de la Capilla Real de Granada.

Jordán, Lucas (1634-1705). Pintor italiano. Nacido y formado en Nápoles, tras asimilar las más importantes tendencias de la pintura italiana del *Seicento*, se trasladó a España a la corte de Carlos II. Su trabajo del fresco monumental en El Escorial o el Casón del Buen Retiro dejará una imborrable huella en el desarrollo de esta técnica en la pintura española.

León, Nicolás de (act. finales siglo XV-principios siglo XVI). Escultor francés presente en la labor de ornamentación de la Capilla Real a través de las figuras de los santos Juanes para la portada.

Machuca, Pedro (1485-1550). Pintor y arquitecto renacentista. Formado en Italia con Miguel Ángel y Rafael, dejó en Granada sus obras más importantes: Palacio de Carlos V, Pilar de Carlos V y Puerta de las Granadas, primeros ejemplos de la introducción del lenguaje arquitectónico manierista en la ciudad.

Maeda, Juan de (1515-1576). Maestro de cantería, discípulo de Diego de Siloe y sucesor de éste en las obras de la Catedral de Granada y la parroquia de Iznalloz.

Marquina, Juan de (act. 1509-1534). Arquitecto representante del plateresco andaluz, de gran prestigio a raíz de su colaboración con Enrique Egas en Santiago y Granada, lo que le permitió el nombramiento de aparejador en las obras del Palacio de Carlos V de Machuca. Fue el creador de la tipología de portada granadina con pilastras, frontones y grutescos (iglesias de San Andrés y San Cecilio).

Martínez Montañés, Juan (1568-1649). Se trata de uno de los más importantes escultores del Barroco español. Formado en Granada con Pablo de Rojas, la mayor parte de su actividad se desarrolló entre Sevilla y Madrid. Pasó de la armonía y la corrección anatómica a la búsqueda de espiritualidad y complejidad formal, escribiendo uno de los grandes capítulos de la imaginería barroca.

Memling, Hans (1430-1494). Pintor flamenco, probablemente discípulo de Roger van der Weyden, cuyo estilo continúa, en su obra se entremezclan ya la serenidad y la atracción comedida características del final de la Edad Media con los rasgos estilísticos típicos de la pintura flamenca y la leve asimilación de las innovaciones italianas.

Mena, Alonso de (1587-1646). Escultor barroco granadino, es el autor de la Inmaculada Concepción de la plaza del Triunfo, los retablos-relicario de la Capilla Real y la figura de Santiago del altar homónimo de la Catedral.

Mena, Pedro de (1628-1688). Escultor barroco, hijo y discípulo de Alonso de Mena, su obra tiende al misticismo y a la contemplación íntima interpretada con lenguaje sencillo y naturalista directamente conectado con el estilo de su segundo maestro, Alonso Cano.

Mora, José de (1642-1724). Escultor granadino, hijo de Bernardo de Mora, reunió en sí los estilos de Pedro de Mena y Alonso Cano. Tiende a la simplicidad formal, al color intenso y al uso de postizos. Destacan entre sus obras la *Soledad* de la iglesia de Santa Ana y la *Virgen de las Angustias* de la iglesia homónima.

Mora, Bernardo de. Escultor mallorquín activo en el siglo XVII en Granada, donde se dejó influir por Alonso Cano. Destacó sobre todo por las colaboraciones con su hijo José de Mora.

Morales, Pedro (act. fines siglo XV –primera mitad siglo XVI). Cantero encargado de parte de los balaústres de la cripta y el coro de la Capilla Real, su nombre se barajó como posible tracista del templo.

Ordóñez, Bartolomé (1480-1520). Escultor renacentista formado en Italia y activo principalmente en Nápoles y Barcelona, entre sus obras se encuentran algunas de las más interesantes del Renacimiento español, como el coro de la Catedral de Barcelona y los sepulcros de Felipe y Juana y del Cardenal Cisneros, directamente inspirados en las obras de Fancelli.

Orea, Juan de (h. 1525-1580). Escultor y maestro de cantería activo principalmente en Granada en colaboración con Pedro Machuca en el Palacio de Carlos V y en el primer proyecto de Santa María de la

Alhambra, trabajó también en Sevilla y Guadix, y como maestro mayor en la Catedral de Almería.

Palomino, Antonio (1655-1726). Como pintor se formó con Valdés Leal en Sevilla y trabajó en Madrid; bajo la influencia de Lucas Jordán desarrolló un particular estilo barroco. Más destacable es su labor como escritor con su tratado *Museo Pictórico y Escala Óptica*, intento de compendio del saber de la pintura, hoy fuente fundamental para el estudio del Barroco español.

Perugino (Pietro Vannucci, 1445/50-1523). Pintor italiano, maestro de Rafael y uno de los más representativos de la tendencia dulce de la pintura del *Quattrocento* italiano. La mayor parte de su actividad se desarrolló en Perugia y Roma, ciudad ésta donde colaboró en los frescos de la Capilla Sixtina.

Pesquera, Diego de (act. 1563-1580). Escultor renacentista activo en Granada, muy influenciado por Diego de Siloe, dejó una importante impronta manierista en sus obras, la mayor parte estatuas públicas de corte profano y alguna religiosa vinculada a la Catedral de Granada.

Quintero, M. (act. primera mitad siglo XVI). Carpintero colaborador de Hernández en los artesonados mudéjares de la Lonja de Granada.

Raxis, Pedro de (h.1561-1626). Pintor formado en Granada, su obra sirvió de puente estilístico entre el manierismo y el naturalismo barroco. En el Museo de Bellas Artes de Granada se conservan las obras *Milagro de san Cosme y san Damián* y *Aparición de la Virgen a san Jacinto*, si bien destacó principalmente como policromador de esculturas.

Risueño, José (1665-1732). Escultor granadino, formado en el taller de Diego de Mora y muy influenciado por Cano y Pedro de Mena, su obra pasó del naturalismo y patetismo barrocos a un cierto gusto rococó manifiesto en una serie de figuras de Niño Jesús. Trabajó en la Cartuja con Palomino y realizó el relieve de la Encarnación de la fachada de la Catedral según diseño de Alonso Cano.

Rodríguez, Alfonso (finales siglo XV-principios siglo XVI). Maestro de cantería gótico, es el responsable, junto con Gil de Hontañón, de la Catedral de Sevilla, así como de la introducción del gótico en América. En Granada fue uno de los primeros partidarios de modificar la traza de Egas para la Catedral.

Rojas, Pablo de (h.1560- ?). Escultor de transición entre el Manierismo y el Barroco, en colaboración con el pintor policromador Pedro de Raxis dejó importantes obras en Granada y su provincia, como el retablo de la iglesia de San Jerónimo, el Nazareno de la iglesia de las Angustias, o el retablo de la iglesia parroquial de Albolote.

Ruiz del Peral, Torcuato (1708-1773). Escultor barroco, discípulo de Diego de Mora, su obra se caracteriza por la rica policromía y el uso de carnaciones brillantes y postizos. Destaca entre sus obras la *Virgen de las Angustias* de la iglesia de Santa María de la Alhambra y la *Cabeza degollada de san Juan Bautista* del museo catedralicio.

Sevilla, Juan de (1643-1695). Es el pintor granadino más importante de la segunda mitad del siglo XVII, junto con Bocanegra, aunque muy influenciado por la pintura de Cano y los sistemas compositivos de la pintura flamenca.

Siloe, Diego de (1490-1563). Arquitecto y escultor, fue el responsable de la implantación del clasicismo en Andalucía Oriental. Tras formarse con su padre, Gil de Siloe, y con Bartolomé Ordóñez, trabajó en Burgos y Granada, donde se ocupó de la iglesia del monasterio de San Jerónimo y de la Catedral, cambiando completamente el plan gótico de ésta para convertirla en una de las obras clave del Renacimiento español. Participó en otros proyectos, como la Catedral de Málaga y la iglesia de El Salvador de Úbeda.

Tendilla, conde de (1442-1515). Título nobiliario de Íñigo López de Mendoza, estrecho colaborador de los Reyes Católicos y una de las primeras autoridades representantes del poder castellano en Granada bajo los cargos de Capitán General y alcaide de la Alhambra.

Vázquez, Lorenzo (act. 1470-1515). Arquitecto conocedor del lenguaje renacentista, en Granada colabora en la elaboración de un plan alternativo al de Egas para la Catedral y, posiblemente, en la traza del Palacio de La Calahorra.

Velasco, Lázaro de (h.1525-1585). Arquitecto, hijo de Jacopo Florentino, fue el primer traductor al castellano del tratado de Vitrubio. Nombrado maestro mayor de la Catedral de Granada en 1577, se mostró fiel a la traza de Siloe.

Vico, Ambrosio de (act. 1572-1623). Arquitecto granadino. A medio camino entre el mudéjar, el manierismo y el herreriano, su obra tuvo gran importancia en el desarrollo de la arquitectura religiosa granadina: colaboró en la Catedral desde el puesto de maestro mayor a partir de 1593 y diseñó la portada del monasterio de San Jerónimo.

Weyden , Roger van der (1399-1464). Principal pintor flamenco de mediados del siglo XV, mostró, a diferencia de sus contemporáneos flamencos, interés por la ruptura de esquemas tradicionales y por la expresión de emociones. En la Capilla Real se conserva una copia de su *Descendimiento* del Museo del Prado.

Edita
PUBLICACIONES
DIPUTACIÓN DE GRANADA

Textos auxiliares
CARLOS MARTÍN

Diseño gráfico de la colección
MANUEL ORTIZ

Reportaje fotográfico
MANUEL VALDIVIESO

Otras fotografías
JAVIER ALGARRA (págs. 10, 44, 53, 56,
58, 115, 116, 117 y 124)
ORONOZ (págs. 13, 81 y 90)
VICENTE DEL AMO (págs. 70 -arriba- y 77)

Planos y alzado
PEDRO L. DOMÍNGUEZ

Primera edición, 2004
© Diputación de Granada
Publicaciones
Palacio de los Condes de Gabia
Plaza de los Girones, 1
18009 Granada
Tf.: 958-247 494 / Fax: 958-247 242
Correo-e: publicaciones@dipgra.es
© del texto: el autor, 2004
© de las ilustraciones: los autores
Maquetación: Marina Guillén y Dora Jiménez
Fotomecánica: PanaLitos (Granada)
Impresión: Imprenta de la Diputación de
Granada
ISBN: 84-7807-393-0
DL: GR. 1687/2004
Impreso en España

TÍTULOS PUBLICADOS

1. GRANADA. GUÍAS DE LA NATURALEZA.
SETAS Y TRUFAS
Antonio Ortega y Eduardo Linares

2. GRANADA. GUÍAS DE HISTORIA Y ARTE.
LOJA
Esther Galera Mendoza

3. JOSÉ GUERRERO. EL ARTISTA QUE VUELVE
Antonio Muñoz Molina

4. LA GUERRA DE GRANADA (1482-1491)
Miguel Ángel Ladero Quesada

5. GRANADA. GUÍAS DE HISTORIA Y ARTE.
MONTEFRÍO
Esperanza Guillén Marcos

6. GRANADA. GUÍAS DE LA NATURALEZA.
ÁRBOLES Y ARBUSTOS
Concepción Morales, Carmen Quesada y Laura Baena

7. TEATRO DEL MUNDO. RECUERDOS DE MI VIDA
Melchor Almagro San Martín

8. GRANADA. GUÍAS DE HISTORIA Y ARTE.
BAÑOS ÁRABES
Carlos Vílchez Vílchez

9. GRANADA FINGIDA
Francisco Izquierdo

10. LA VIDRIERA DEL RENACIMIENTO EN GRANADA
Víctor Nieto Alcaide

11. GRANADA ARQUEOLÓGICA.
LA CULTURA IBÉRICA
Andrés Adroher, Antonio López Marcos y Juan A. Pachón
Romero

12. GRANADA. GUÍAS DE LA NATURALEZA.
MANANTIALES
Antonio Castillo Martín

13. MINAS Y MINEROS DE GRANADA (SIGLOS XIX Y XX)
Arón Cohen

14. OLVIDOS DE GRANADA
Juan Ramón Jiménez

15. GRANADA ARQUEOLÓGICA.
LA PREHISTORIA
María Soledad Navarrete

16. GRANADA. GUÍAS DE HISTORIA Y ARTE.
SANTA FE
Esperanza Guillén Marcos

17. AGUA Y PAISAJE EN GRANADA:
UNA HERENCIA DE AL-ANDALUS
Carmen Trillo San José

18. GRANADA. GUÍAS DE LA NATURALEZA.
ANFIBIOS Y REPTILES
Juan Manuel Pleguezuelos y Mónica Feriche

19. APOGEO Y SILENCIO DE HERMENEGILDO LANZ
Juan Mata Anaya

20. GRANADA. GUÍAS DE LA NATURALEZA.
FAUNA SUBMARINA
Luis Sánchez Tocino y Amelia Ocaña Martín

21. EL HOSPITAL Y LA BASÍLICA DE SAN JUAN DE DIOS
Juan Larios

22. VAL DEL OMAR, CINEMISTA.
Román Gubern

23. LA CERÁMICA EN GRANADA
Carlos Cano Piedra y José Luis Garzón Cardenete

24. MIGUEL PIZARRO, FLECHA SIN BLANCO
Águeda Pizarro